To renew this book, phone 0845 1202811 or visit
our website at www.libcat.oxfordshire.gov.uk
(for both options you will need your library PIN
number available from your library),
or contact any Oxfordshire library

OXFORDSHIRE
COUNTY COUNCIL

L017-64 (01/13)

3303509377

LES RÊVEURS

Comédienne de théâtre et de cinéma, Isabelle Carré poursuit depuis 1987 une carrière d'anti-star discrète au talent toujours plus reconnu. *Les Rêveurs* est son premier roman.

ISABELLE CARRÉ

Les Rêveurs

ROMAN

GRASSET

© Éditions Grasset & Fasquelle, 2018.
ISBN : 978-2-253-90689-6 – 1ʳᵉ publication LGF

À mes enfants, ma merveilleuse famille,
à toutes les familles, les grandes, les petites,
les classiques et les autres,

à Marie-Eugénie Jullian.

Le roman, c'est la clé des chambres interdites de notre maison.

Louis ARAGON

Tu sais mon rêve, maintenant, l'idée que j'aurais ? Que j'aimerais être écrite – enfin tu vois : qu'un écrivain s'occupe de moi, un écrivain que j'aurais rencontré et qui s'intéresse à mon cas, qu'il écrive un roman, ou peut-être pas tant : un genre de nouvelle, ou de feuilleton pour les journaux… Maintenant, c'est la chose qui me plairait tout à fait.

Bernard-Marie KOLTÈS

Elle me tient par la main, et pousse en même temps mon frère dans son landau. Nous traversons la rue, nous marchons, personne ne parle. Les voitures roulent et les gens bougent en silence, c'est comme un film muet. Je n'ai pas encore remarqué, je crois, son regard fixe, sa démarche fantomatique, même si je sens qu'elle est loin, ses pensées l'ont encore capturée à des années-lumière, j'ai l'habitude... Oui, mais si loin, ce jour-là, qu'elle ne m'entend pas crier lorsqu'un passant m'arrache à elle...

Elle continue sa route, la tête bien droite, elle avance vers ce point mystérieux qu'elle fixe toujours, elle s'éloigne d'une marche régulière, presque mécanique, elle avance invariablement, sans enthousiasme ni détermination, sa trajectoire se dessine toute seule, elle n'espère rien, elle se déplace simplement vers autre chose, là où elle est censée se rendre, et ce rendez-vous, ce but quel qu'il soit, la laisse indifférente tout autant que ma disparition. Ma panique, mes efforts pour attirer son attention sont inutiles, aucun de mes hurlements ne l'alertera... Elle poursuit sa route, la poussette à la main, sans s'inquiéter de moi. Elle n'a pas senti ma main lui échapper, elle n'était que de l'eau ou du vent dans la sienne. J'ai six ou sept ans, et ce rêve revient de plus en plus souvent. Je sais bien que ce n'est qu'un cauchemar, mais il semble contenir une vérité que je ne saurais ignorer : ma mère ne me voit pas, elle ne me sauvera d'aucun danger, elle n'est pas vraiment là, elle ne fait que passer, elle est déjà passée. Elle s'en va.

Quitter Pantin

Penchée à la fenêtre de sa chambre, elle fume sa dernière cigarette. Il va falloir sortir acheter un nouveau paquet. Elle attend le moment où elle ne pourra plus faire autrement. Ils l'ont installée à Pantin, parce que, ici, elle ne connaît personne et que personne ne les connaît. Elle doit rester là, plusieurs mois, dans un studio à peine meublé d'un lit, où elle imagine, le soir, quand elle s'y glisse, tous les gens qui l'ont précédée, d'une table en Formica et de deux chaises. La cuisine est dans la même pièce, les toilettes sur le palier, au fond du couloir. Son frère l'a trouvé par petites annonces, dans une rue discrète près des Grands Ensembles. Elle écrase sa cigarette en se promettant de fumer moins aujourd'hui. Elle a faim mais le réfrigérateur est vide. « Il faut vraiment que je sorte », se répète-t-elle pour s'en convaincre. « Je ne dois pas avoir peur, je ne croiserai personne… » Elle gagne du temps en tournant le bouton d'une télé minuscule posée à même le sol. Un homme sympathique en pull orange annonce les titres du journal :

« Un an après Mai 68, quelles sont aujourd'hui les conséquences des revendications de toute une

13

génération, c'est notre grand format de cette édition. » Elle regarde les images d'étudiants qui crient en brandissant leurs pancartes sur fond d'*Internationale* au pianola. Elle éteint, agacée. Elle n'y a pas participé, tout s'est passé sans elle.

Elle était encore en province dans cet univers bourgeois dont elle est désormais exclue, qui l'a rejetée. Elle n'en connaît pas d'autre.

L'appartement convenait aussi pour sa proximité avec la clinique. Elle n'aime pas y aller, même si ça lui plaît d'entendre à chaque visite son cœur qui bat. Depuis quelques jours, elle le sent bouger, il refait toujours ce geste, une caresse intérieure, elle s'étonne de retrouver si précisément la même sensation, comme s'il lui faisait signe, ou cherchait à l'apaiser. Elle ne sait pas comment réagir, elle se sent gauche, maladroite, trop tendue pour se laisser aller.

Elle hésite à sortir, elle ne doit pas manquer leur appel téléphonique. Ils l'appellent régulièrement mais jamais à la même heure, est-ce un test ?

Elle enfile un pull marron, prend sa clé. Elle claque la porte, longe le couloir jaune, se répète qu'elle ne doit pas avoir peur, puis revient sur ses pas quand elle s'aperçoit qu'elle a oublié son porte-monnaie. Avant de refermer la porte pour la seconde fois, le téléphone sonne, elle se précipite, se félicitant d'avoir tardé à sortir.

« Allô ? Oui, tout va bien… » Elle reprend sa respiration. Sa voix résonne bizarrement, comme si ce n'était pas la sienne. On dirait un enregistrement. Elle s'efforce de leur répondre avec plus d'assurance.

« Pas aujourd'hui… Non, non je suis pas malade, je me repose, c'est tout… j'ai fait les courses hier, ne vous inquiétez pas, j'ai besoin de rien… Demain ? C'est demain la prochaine visite ? Ah oui, déjà. Je préfère y aller seule, si c'est possible… Je vous assure, c'est pas la peine de m'accompagner, je connais maintenant… Vous êtes sûrs ? Parce que je peux très bien… D'accord, je serai prête à deux heures, je vous attendrai. Merci… Je disais juste merci ! »

Elle raccroche, découragée, elle déteste ces visites à la clinique avec son frère ou ses sœurs aînées. Elle les observe discuter avec les bonnes sœurs, affables, presque obséquieux. Ils parlementent toujours avec les mêmes, celles qui semblent être les responsables.

Elle n'est pas vraiment sûre de ce qu'ils préparent. Elle était là, pourtant, quand la question a été abordée. Il y a quelques mois, toute la famille avait assisté à la réunion, sa mère n'était restée qu'un quart d'heure, mais tous les autres se tenaient dans les canapés en cuir du salon familial, ou les fauteuils Louis XV : « … Tu vas aller vivre là-bas, ton frère te donnera un peu d'argent, tu éviteras absolument de voir tes amis, et surtout tu n'iras pas dans Paris, à aucun moment, tu entends ! Il ne faut pas qu'on te voie… La clinique qu'on t'a trouvée pourra t'accueillir jusqu'au terme, tu n'auras qu'un papier à signer. Un papier, c'est tout. »

Ils en avaient déjà débattu ensemble et paraissaient tous d'accord. Chacun se sentait soulagé mais gardait un air grave, lourd de reproches. Elle n'osait pas rompre le silence, elle n'arrivait pas à assimiler la totalité du discours qu'elle venait d'entendre, elle pensait avoir de la fièvre, sa tête bourdonnait. Elle se sentait faible comme après une longue maladie.

Tout le monde finit par s'éparpiller, et elle se retrouva seule, face à sa plus jeune sœur qui lui souriait, embarrassée comme elle.

Les bonnes sœurs de la clinique aussi souriaient. « Tout va bien, il bouge bien maintenant, vous le sentez ? Mais il est un peu petit, il faut vous nourrir mieux que ça, mademoiselle, pour vous et pour lui. C'est d'accord ?

— Oui, ma sœur. »

La dernière fois, le médecin était accompagné d'une sœur plus âgée, maigre et sèche. Elle avait ressenti du dégoût à son contact, mais n'en avait rien montré, s'obligeant à être aimable, à paraître presque détendue. Celle d'aujourd'hui a peut-être quinze ans de moins, pourtant rien ne la distingue de l'autre, avec son voile, sa robe et son scapulaire foncé, on dirait la même photo en noir et blanc.

« Bon, c'est bien, c'est très bien. Vous pouvez vous rhabiller, jeune fille.

— Merci, ma sœur.

— Ça va être un beau bébé, mais il faut manger ! Je vais vous laisser un papier avec les quantités, les légumes, les protéines, les fromages à éviter, comme ça vous saurez tout. »

Par la porte entrebâillée, elle voit son frère discuter dans le couloir avec la mère supérieure, si seulement elle pouvait les entendre.

« Pour les fromages, on vous a déjà expliqué ? Vous savez à quel type de fromages vous avez droit ? »

Est-ce qu'elle va finir par se taire, qu'elle arrête de lui parler de nourriture ! Elle aimerait tant saisir des bribes de leur conversation. Ces échanges chuchotés, presque honteux, lui font peur, et confirment le sentiment que tout lui échappe.

En raccompagnant la religieuse, son frère croise son regard, à l'affût, prêt à saisir le moindre indice. Il tente de la rassurer d'un signe de la main, de lui dire que ça va, tout fonctionne. Mais il ressemble à un enfant rougissant, au voleur qui vient de commettre son délit, surpris la main dans le sac.

Elle lui répond en hochant la tête, sans savoir exactement à quoi elle peut bien acquiescer.

De retour dans sa chambre de bonne, elle essaie de ne plus y penser. Elle sort d'un placard un mange-disque rouge et quelques 45 tours, des chansons d'Adamo, *Les Bottes* de Nancy Sinatra, Richard Antony. Elle écoute surtout Adamo et aussi *Les Neiges du Kilimandjaro*.

« Elles te feront un blanc manteau, où tu pourras dormir… »

Une époque lointaine où elle était déjà, pour son père, une jeune fille qu'il ne comprenait pas, mais qui ne lui posait encore aucun problème. Elle était absente tout le mois, en pension comme ses sœurs. Pendant les vacances, elle participait à des rallyes – chaque fille recevait chez elle, en robe de soirée, avec piste de danse et buffet digne d'un mariage.

C'est sur ce slow du Kilimandjaro qu'il lui avait plu. Plus âgé qu'elle, il affichait une belle assurance et, surtout, il avait de très grandes mains. Elle les sentait bouger imperceptiblement dans son dos, et même si elles ne s'égaraient pas dans les zones dangereuses mais restaient sagement près de son cou, leur chaleur pénétrait sa peau et parvenait à irradier dans tout son corps.

Elle ne connaissait rien à la sexualité. Un jour, elle avait découvert qu'elle saignait, et ce sang l'avait terrifiée. Une fois accommodée à l'idée que c'était bien « ça », grâce à une fille de son dortoir, elle n'en parla à personne. Elle lavait discrètement des sortes de langes blancs, comme ceux des bébés, qu'une bonne sœur de la pension lui avait donnés.

Sa seule expérience se résumait à un baiser volé, un soir de rallye, par un garçon un peu plus entreprenant que les autres, mais malgré le plaisir qu'elle y avait pris, elle pleura tous les jours, convaincue d'être enceinte. Elle ne s'apaisa que des semaines plus tard, estimant avoir eu de la chance. Elle ressemblait comme une jumelle à Agnès, de *L'École des femmes*, persuadée que les enfants se font par l'oreille.

J'ai du mal à imaginer qu'à la fin des années soixante, une fille de seize ans puisse grandir dans une telle ignorance. Plus jeune, tandis que j'entrais moi aussi dans l'adolescence, j'ai souvent interrogé ma mère sur ses croyances. Vraiment, tu pensais que tu pouvais tomber enceinte en l'embrassant ? Oui, me répondait-elle avec un sourire gêné.

Par la bouche ou par l'oreille, après tout, c'est bien en l'écoutant rire et lui parler avec douceur qu'elle accepta de le suivre. Et lorsque « l'homme du Kilimandjaro » l'emmena fumer une cigarette un peu plus loin, malgré toutes ses craintes, elle était prête à recommencer. Elle attendait avec impatience qu'il répète les mêmes gestes que le type du baiser, pour ressentir à nouveau cette vague de frissons qui remontait jusqu'au creux de la nuque. Ce serait meilleur encore puisqu'il lui plaisait, et qu'elle l'avait choisi.

Elle le guettait, il se fit donc attendre, mais l'essentiel était qu'il revienne, et le frisson, précisément le même, était là, il était revenu.

Elle se laissa caresser, explorer, fit cette chose qu'elle n'avait jamais réellement envisagée avant qu'elle se produise : l'amour avec un corps inconnu, découvrant tout à la fois, sa peau, sa densité, son odeur. Ces mains qui ne cessaient de la parcourir l'entraînaient dans un vertige qui l'éloignait peu à peu du rivage, sans aucun retour possible. Comme s'il la soulevait, pour glisser avec elle dans une pente très douce. Il n'y avait plus d'appui solide dans l'espace, rien à quoi se retenir.

« J'aimerais tenir quelque chose dans mes bras comme vous tenez votre guitare, avec cette tendresse, j'aimerais vous tenir dans mes bras avec cette même tendresse, parce que vous êtes tout, tout ce dont j'ai rêvé… » Quand elle pensait à la largeur de ses mains, à leur présence, cette réplique d'un film résonnait dans sa tête, obsédante comme une chanson d'été à la radio.

Le frisson à lui seul contenait tant de promesses… Même si son sexe lui faisait mal, elle n'en parlait pas. Elle était certainement la seule responsable, elle se croyait sèche, trop étroite. Elle se disait qu'elle apprendrait.

Malgré cette gêne qu'elle ressentait ensuite, plusieurs jours durant, elle était toujours d'accord pour le faire, autant qu'il le souhaitait, pour le satisfaire, mais aussi pour le frisson, quel qu'il soit, diminué ou grandissant, mystérieusement autonome, suivant ses propres lois.

Ils se retrouvaient de plus en plus souvent. Les week-ends, les jeudis après-midi, dès qu'elle pouvait s'échapper du pensionnat, elle ne voyait aucune raison de lui résister, après tout ils étaient là pour « ça ». Pour se voir, bien sûr, se parler, et puis pour ça. Il attendait quelque chose d'elle, cette chose était l'aboutissement de leurs retrouvailles, il n'était pas envisageable qu'elle reparte sans la lui donner.

Pour se rassurer, elle se répétait qu'il était possible, même probable, qu'ils se marient plus tard... Sa confiance était infinie.

Allongée sur le sol froid de la chambre, elle essaie de calmer sa respiration et ses pensées devenues folles. Mais les mêmes questions reviennent, indéfiniment, comme des papillons s'exposant la nuit entière aux brûlures de la lampe. Qui aurait pu supposer que l'ordre des choses changerait si brutalement ? Pourquoi se retrouvait-elle seule dans cette banlieue, à Pantin, ne sachant absolument pas si une personne, une seule, de sa famille ou de son entourage, resterait proche d'elle ? Elle avait beau compter, chercher, faire défiler tous ces visages qui jusque-là avaient fait sa vie, aucun ne se fixait devant ses yeux, c'était vide.

Il lui avait bien envoyé cette lettre, une lettre d'excuses ou de justification, à moins qu'il ne soit revenu sur sa décision et choisisse de les accepter, elle et l'enfant, mais elle avait déchiré l'enveloppe, sans l'ouvrir, en morceaux si petits qu'il était maintenant impossible de la lire.

Il ne recevrait aucune réponse, si la lettre en réclamait une. Puisqu'il fallait souffrir dans cette histoire, autant aller jusqu'au bout. Elle préférait penser que si elle était coupée de tout, c'était son choix, sa propre résolution, et n'avait rien à voir avec les consignes relayées par son frère. Persuadée que le fugitif devait aussi en souffrir, elle s'enfermait.

Elle refusait d'admettre qu'elle ne pouvait plus l'atteindre, qu'il s'était envolé, aussi rapide qu'un oiseau fuyant la main qui tente bêtement de le saisir.

Alors, du haut de son sixième étage, elle passe ses journées penchée à la fenêtre, à observer les gens, regrettant d'être si haut et eux si petits. Elle voudrait voir leur visage plutôt qu'être obligée de toujours deviner, d'inventer à chacun la bonne expression, d'interpréter le moindre geste pour se raconter leur vie et mieux oublier la sienne.

Son frère vient la voir régulièrement, mais ses visites sont courtes et lui laissent le sentiment d'être plus isolée encore. Les voisins la saluent, proposent leur aide pour les courses, certains l'interrogent aussi, avec curiosité. Elle apprend à les éviter. De longues semaines s'achèvent sans avoir croisé personne, sauf la concierge et la vendeuse du Félix Potin à l'angle de la rue.

Ses nuits sont peuplées de rêves étranges, elle se voit entourée d'une foule qui avance au ralenti, elle voudrait s'échapper, fuir le plus loin possible, elle y parvient en pédalant de toutes ses forces, jusqu'à s'élever du sol et rejoindre dans son élan les toits des maisons, elle plane de plus en plus haut, au-dessus d'une église, gravite autour d'un dôme, comme une planète, avant de se poser sur un vieux clocher... Ou elle traverse des champs immenses, recouverts de fleurs bleues, le vent les caresse, les tiges ondulent comme des vagues, « tout ce qui est là, devant toi, te ressemble », lui assure le rêve, elle pénètre dans une grange, la lumière filtre au travers des planches mal ajustées, « ouvre grand les yeux, il faut en profiter », s'enthousiasme-t-elle en détaillant chaque objet, deux petits tableaux sont accrochés au mur, des natures mortes, des fruits jaunes, orangés, « ces peintures sont à ton image », affirme à nouveau une voix intérieure, si confiante qu'elle a du mal à la reconnaître... Elle se réveille plus fatiguée que la veille, regrettant de ne pas être restée prisonnière du rêve, elle saurait comment l'interpréter.

Pantin est désespérément gris comparé à ses échappées en technicolor. Si quelqu'un pouvait lui témoigner un peu de chaleur et d'empathie, le temps passerait plus vite...

Anne vient lui rendre visite dans son minuscule meublé. C'est la seule camarade de pension qu'elle a osé appeler, elle est discrète et n'a pas l'habitude de poser de questions.

Les premiers temps, il est facile de mettre sa réticence à sortir sur le compte de la grossesse, mais au fil des jours et des mois, tout cela devient étrange, presque inquiétant. Aime-t-elle à ce point la solitude ? Impossible d'imaginer que son amie s'enferme toute la journée pour obéir aux instructions paternelles ou cherche à devenir invisible à mesure que son ventre s'arrondit.

Pour bien faire, il faudrait disparaître, cesser d'exister. « Si c'était ce geste, précisément, qu'ils attendaient de moi ? », cette question l'obsède. Elle se réveille, s'endort avec, l'idée grandit et finit par prendre toute la place.

Peu importe que les chances de croiser quelqu'un de familier à Pantin soient inexistantes, son père lui demande d'être toujours plus prudente. Leur vie entière s'est construite sur des apparences, il faut tenir son rang, continuer de vivre exclusivement avec ceux du même milieu, et tenter d'être, à leurs yeux, irréprochable, même si cette reconnaissance devait se payer cher ensuite.

Il tenait tant à ces apparences qu'elles étaient devenues la seule réalité valable, il y adhérait si totalement qu'il entraînait tout son monde dans des versions toujours arrangées, édulcorées de sa vie. Mais rien ne demeurait aussi lisse qu'il le souhaitait, les êtres et les choses autour de lui prenaient même un malin plaisir à résister et déjouer tous ses plans. Sa femme surtout détonnait, elle se comportait bizarrement, n'écoutant que ses obsessions. Elle repeignait les volets à trois heures du matin, impossible pour elle d'attendre le lever du jour, ensuite elle partait au potager avec une lampe-torche pour désherber jusqu'à l'aube, jusqu'à ne plus pouvoir tenir debout. Elle finissait toujours par s'endormir dans sa brouette, en tenant serrés contre elle sa lampe et son sécateur.

Au début de leur mariage, il avait bien essayé de cacher, aux employés et à toutes les personnes qu'il côtoyait, les débordements de son épouse, ses manies et ses travers. Et quand ce ne fut plus possible il choisit d'en rire dans les dîners, devant des invités crédules et amusés. Mais, en vieillissant, elle devint véritablement inquiétante, ses journées n'avaient plus aucune cohérence, ses obsessions avaient pris toute la place, alors il baissa les bras et subit en silence, continuant plus modestement de prétendre qu'elle était certes un peu spéciale, décalée, mais qu'il la choisirait encore si c'était à refaire. Il assurait même avoir de la tendresse pour sa folie, alors qu'elle lui était devenue insupportable. Elle n'arrivait qu'à la fin des repas, quand elle arrivait. Ne s'occupait pas des enfants, sauf s'ils acceptaient de déplacer des caisses d'une pièce à l'autre ou de la suivre pendant des heures au potager, ou encore s'ils s'agenouillaient avec elle pour chanter devant l'une des multiples statues de Marie, phosphorescente et miraculeuse, en plâtre ou en plastique, disséminées dans toute la maison. Elle aimait aussi leur montrer de curieux mouvements de gymnastique, imaginés par elle, avec des respirations censées lui procurer enfin un peu de détente. Quoi qu'elle fasse, elle ressemblait toujours au lapin d'*Alice au pays des merveilles*, répétant comme lui qu'elle n'avait pas le temps, qu'elle était en retard. C'était une lutte quotidienne perdue d'avance entre elle et le temps, découpé, saucissonné en heures et en minutes pour rien, juste pour lui rendre la vie plus dure encore. Sous cette pression continuelle, ses nerfs réclamaient d'urgence d'être soignés, mais cela aurait signifié reconnaître sa fragilité mentale, et cette tâche aurait rejailli sur lui, son mari. Il ne voulait pas prendre le risque de voir cette tache s'agrandir comme de l'encre sur du papier buvard.

Même si elle en avait peur, elle aimait jouer à côté de cette femme pressée. Son corps d'enfant réclamait la voix et l'odeur de sa mère. Elle tâchait de ne pas prendre trop de place, les adultes ne lui accordaient pas la moindre attention, elle pouvait se maquiller avec sa poudre, sentir son parfum, coiffer ses poupées avec sa brosse, tenir le miroir gravé de ses initiales. Rien n'était plus précieux à ses yeux que ces objets pleins d'une présence maternelle enfin accessible. Elle s'émerveillait de pouvoir les manipuler, de posséder quelques instants l'immense collier de perles de sa mère, qui s'énervait sitôt qu'elle la découvrait. Par terre, toujours au mauvais endroit, elle n'aimait pas voir l'enfant jouer avec ses affaires, elle les abîmait avec ses mains sales ! Sa fille la gênait, l'empêchait de courir au hasard des choses qu'elle avait à faire…

Un matin, excédée, elle la saisit par la taille, prête à la jeter par la fenêtre ouverte. La fillette hurla pardon, et ce cri l'arrêta dans son élan, la laissant un moment suspendue au-dessus du vide. Le petit corps raidi dans les mains de sa mère n'opposa pas la moindre résistance de peur d'être lâché. « Pardon, pardon… ! », répétait l'enfant d'une voix blanche. Prenant alors subitement conscience de son geste, sa mère la reposa sur le sol.

La petite se sauva, comprenant confusément à quoi elle venait d'échapper. Elle s'aperçut plus tard que sa robe était trempée, et eut honte de n'avoir pas su se retenir. À cet instant plus qu'à aucun autre, elle aurait aimé se réfugier dans des bras pour apaiser les battements de son cœur. Mais d'aussi loin qu'elle s'en souvienne, personne ne l'avait jamais prise dans ses bras.

Seul un grand-père lui manifestait un véritable intérêt, celui qui avait transmis la syphilis à sa femme au retour de la Grande Guerre, et dont on disait seulement qu'il avait contracté une « maladie spéciale » pour ne pas la nommer. Ce grand-père l'aimait plus que les autres, parce qu'il l'avait sauvée un jour de la noyade en la retenant par les cheveux.

Quand il l'autorisait à l'accompagner sur l'étang, elle le suivait toujours avec enthousiasme. Elle le regardait pêcher tout l'après-midi, sans se lasser, et l'aidait parfois à remettre ses prises à l'eau. La barque n'était pas grande, il n'y avait de place que pour lui, ses cannes à pêche et un enfant. Elle se précipitait pour être l'élue. Il se fatiguait vite des histoires que faisaient les autres, de leurs chamailleries. Il la choisissait volontiers parce qu'elle était silencieuse, à l'écart, toujours un sourire triste sur les lèvres. Elle payait cher cette préférence, les aînés la poursuivaient en criant : « Oh la laide ! Oh la laide ! », n'abandonnant qu'à condition de voir ses larmes couler, puis ils retournaient à leurs jeux, satisfaits.

Un jour, alors qu'elle regardait le poisson qui venait d'être libéré s'enfoncer dans l'eau verte et boueuse, penchée pour le suivre jusqu'à le voir disparaître à travers les algues, elle avait basculé dans l'étang. Elle ne savait pas nager et n'essaya pas de s'accrocher à la barque ni de se débattre dans l'eau, surprise de pénétrer dans cette opacité pleine de lianes qu'elle avait tant observée du bateau. Elle se voyait tomber comme une pierre, distinguant à peine ce qui s'enroulait autour de ses chevilles, frôlait son dos et ses bras, jusqu'à ce qu'elle soit tirée par les cheveux, et ramenée toute dégoulinante de vase dans la barque. Elle ne s'en souvient plus, mais en regagnant la rive, le vieil homme l'avait sans doute entourée, essuyée, réchauffée.

Il la laissait parfois s'asseoir sur ses genoux. Il ne le manifestait pas, mais certains jours, quand sa femme l'avait abreuvé plus que d'ordinaire de paroles amères, il attendait ses visites.

Voilà sans doute pourquoi ma mère ne voulait jamais couper mes cheveux, et encore moins m'amener chez le coiffeur. Quand je la suppliais de les égaliser de quelques centimètres, elle le faisait en soufflant, comme si chaque coup de ciseaux lui coûtait. Je n'aimais pas sentir ses mains hésiter dans mon dos et tarder à faire ce que je réclamais avec tant d'insistance. Je ne savais pas encore que la longueur de ses cheveux lui avait un jour sauvé la vie.

À chaque visite, l'amie constate combien l'idée de sortir dans Paris l'effraie, alors c'est elle qui traverse le périphérique. Le plus souvent, son frigidaire est vide. On l'a laissée là, déposée comme une valise au sixième étage d'un immeuble isolé, face au serpentin en béton rose de la cité des Courtillières.

Elle lui fait à manger, essaye de la rassurer, mais reste impuissante devant son silence et cette étrange solitude.

Un soir où elle lui paraît plus fébrile, plus inquiète encore que d'habitude, Anne l'attire contre elle. Au début, ma mère résiste, ce contact la surprend, il n'y a plus de raideur, de tension, de sécheresse… Sa tendresse l'apaise, mais lui montre aussi à quoi les siens n'ont jamais consenti, ce qui aurait été jadis aussi indispensable que l'eau ou le sommeil, ce besoin primaire, comment expliquer que durant toute son enfance cette chose-là n'ait pas existé ?

Elle se console en espérant retrouver ce réconfort autrement, car à présent elle peut le reconnaître, sait le nommer, le désirer.

Mais l'enfant qui n'a pas possédé ce trésor ne le récupérera jamais. Il restera pour toujours démuni, lésé, comme tous ceux qui ont grandi sans tendresse, et se sont rassurés seuls dans leur chambre, les genoux repliés dans des bras gelés.

Se raconter des histoires, se frotter la joue avec un mouchoir, chanter à voix basse…

Aucun adulte ne la félicite jamais pour ces efforts, ils passent inaperçus. On prend vite l'habitude de ne compter que sur soi-même. C'est littéralement devenu sa méthode pour s'endormir, elle compte sur ses doigts : « Le pouce c'est ton père, le majeur ta mère, et sur les autres ton frère et tes sœurs. » Aussi longtemps que nécessaire, comme des petites marionnettes, elle les fait vivre dans ses mains.

Il n'est plus possible désormais de rester enfermée jour et nuit dans cette chambre, comme dans une salle d'attente.

Elle s'autorise enfin à sortir, à franchir la ligne. Elle le rencontre chez Anne, à Paris. Il est étudiant aux Beaux-Arts, il parle beaucoup, souvent trop, mais tout le monde l'écoute. Il s'exprime comme un guide de musée, récite à qui veut l'entendre l'histoire de ses peintres préférés, raconte avec humour la susceptibilité du Caravage, le *sinu regio* de Vinci, ses relations amoureuses avec ses élèves, les effets de lumière chez Vermeer, les contrastes accentués grâce à sa camera obscura, comment Rembrandt a peint la *Ronde de nuit*, Picasso *Guernica*, le rythme expressionniste abstrait de Joan Mitchell, sa vie tumultueuse avec Riopelle… Il aime aussi l'Arte Povera qui commence juste à s'exposer, et puis Miró, Calder, Tinguely… Il rêve de la chapelle Sixtine, connaît la vie du Greco par cœur. Il a fait Mai 68 avec ceux des Arts A et les camarades de la rue Bonaparte. Un an après, il en parle encore comme d'une fête qui continue.

Il leur raconte la construction, au milieu de la cour des Beaux-Arts, d'une sculpture haute de plusieurs étages, faite de tables, de chaises, de bureaux, amalgamés aux matériaux récoltés dans les classes, les plâtres, les squelettes... les fausses fleurs utilisées pour les natures mortes, les corbeilles de fruits et les carafes, devant le directeur de l'école, effaré, et les professeurs pris, comme lui, sous le feu des jets de peinture. La sculpture gigantesque allume encore dans ses yeux une excitation qu'elle aurait aimé partager.

Il arrive de province, et habite depuis quelques mois avec son frère, à Paris, dans une pièce minuscule. Il suffit de tendre les bras pour toucher les murs de chaque côté. Il vient d'un milieu opposé au sien, il en préférerait un autre que cette descendance de cheminots, gardes-barrières, gratte-papier, couturières et petits fonctionnaires – pour elle, qui ignore tout des contraintes quotidiennes, des manques, des humiliations, ce sont autant de voies possibles vers la liberté.

La tête lui tourne, depuis longtemps elle n'avait pas vu tant de personnes rassemblées, une dizaine de garçons et de filles qui se connaissent tous, ils ont entre dix-neuf et vingt ans. Elle a du mal à suivre leurs conversations, elle s'accroche à celle de sa voisine, s'arrangeant pour la laisser parler.

Dès qu'il la voit, il lui trouve une grâce, un éclat différent des femmes qu'il connaît. Sa peau est irréellement blanche, elle a l'air d'être de passage, comme si elle devait bientôt repartir pour une planète lointaine. Elle traverse l'espace, marche d'une pièce à l'autre, comme une somnambule. Elle n'est pas vraiment absente mais appartient à un autre plan sur le dessin. Pourtant elle capte toute la lumière. Il a devant lui une équation mystérieuse, un problème à résoudre, et il ne veut surtout pas qu'un autre le fasse à sa place. Si elle attend un enfant, elle n'en est que plus précieuse, elle ressemble à une madone de Fra Angelico. Il meurt d'envie de dérober ce tableau, et de le garder pour lui. C'est la vierge de *L'Annonciation du couloir nord*, celle qui se trouve en haut des marches de l'escalier menant aux cellules des moines du couvent de San Marco à Florence, à l'intersection des deux ailes du dortoir. L'ange et Marie se regardent, leurs mains croisées sur la poitrine, tous deux ont un visage doux, presque impassible. L'arrivée d'un ange ne provoque chez elle aucune surprise, elle ne sourit pas en entendant la bonne nouvelle, mais entrouvre à peine la bouche. Elle est très pâle, vêtue d'une robe beige, un grand tissu bleu foncé a glissé de ses épaules et la découvre, elle semble avoir froid. L'ange au contraire flamboie, il a déployé toutes ses couleurs pour elle, ses ailes sont jaunes, rouges, bleu-gris, et sa robe est rose. Marie se fond presque dans la couleur des murs de sa cellule et ressemble réellement à ma mère, devenue transparente à force de se cacher.

Est-ce ainsi qu'ils se sont rencontrés ? A-t-il fallu du temps, plusieurs visites ? Des instants seuls dans la cuisine, un face-à-face ? Je suis troublée d'imaginer cette première rencontre entre mon père et ma mère. Je sais qu'ils se sont vus chez Anne. Je sais qu'elle était perdue, complètement seule, et qu'il a sans doute fait le premier pas. Tout l'effrayait, elle ne pouvait prendre aucune initiative. Il l'a prise en main, les a portés, elle et son enfant. Je sais combien cet homme a changé le cours des choses, a transformé sa vie, ses connaissances, puis modifié ses désirs et ses habitudes, de quelle façon il a bouleversé son regard sur le monde, sa façon d'être au monde… Et comment il l'a aidée à quitter Pantin.

En sortant, un vent frais lui donne envie de marcher dans Paris. Chargé d'une pluie fine, il la réveille. Elle baisse les yeux, enfonce la tête dans le col de son manteau. Elle devrait rentrer directement à Pantin, ne pas traîner dans ce quartier où l'on pourrait la voir, la reconnaître, pourquoi se mettre en danger ? Malgré cette voix de flic dans sa tête, qui voudrait qu'elle continue d'obéir et ne quitte plus sa planque au sixième étage, elle décide de se perdre dans les rues, tourne au hasard, pour revenir parfois étrangement sur ses pas. La nuit l'enveloppe et la protège. Elle les a tellement entendus dire qu'il ne fallait prendre aucun risque, ne surtout pas franchir la frontière de sa banlieue grise pour s'aventurer dans ces arrondissements du centre de Paris, qu'à présent tout lui paraît irréel, comme si elle revenait d'un long voyage. Elle s'arrête dans une rue étroite faite d'immeubles où elle aurait aimé vivre… Dans celui-là, peut-être, avec ses grandes fenêtres et ce balcon sur lequel résistent encore deux arbustes, elle s'y serait cachée pour fumer sa première cigarette, à l'angle un square, et sur la droite le glacier, le marchand de moquettes, un magasin de décoration… Elle s'imagine, revenant de l'école, elle va pousser cette porte, s'allonger sur son lit à une place, laisser toute la nuit la porte entrouverte, la lumière du couloir allumée, et entendre les voix des invités en train de dîner. Elle a soudain l'impression de flotter dans une autre vie, elle n'aurait pas grandi en province où tout est observé, commenté, mais là, dans Paris, entourée d'une famille anonyme, libre. Elle marche longtemps, projetant sa vie derrière chaque fenêtre allumée, il pleut mais c'est une pluie douce, presque chaude. Et elle découvre que ses pas ou ses pensées l'ont conduite tout près de la rue de l'homme du Kilimandjaro.

Lui aussi était « monté » vivre à la capitale, dans ce quartier près du Luxembourg. Ces quelques semaines passées ensemble, une sorte de voyage de noces, continuent d'accaparer ses pensées. Elle le rejoignait aussi souvent que possible, prenait un autorail interminable, prétextant qu'une amie était gravement malade, ou bien qu'on lui donnait, pour quelques jours, des enfants à garder, une autre fois elle débutait comme convenu un stage chez Pigier, à dix-huit ans, elle commençait tout juste à prendre goût aux mensonges…

Plus tard, n'ayant plus personne à qui rendre des comptes, elle aurait toujours du mal à mentir, le prix à payer avait été trop lourd, même si elle n'en parlait pas, toute cette histoire la blessait encore. Lorsque je la suppliais par exemple d'écrire un mot pour l'école, un petit mot d'excuses, un demi-mensonge, je voyais ma mère se rétracter, devenir blanche, livide, être si mal à l'aise, répétant à quel point elle n'aimait pas mentir, à quel point c'était difficile. Subitement elle redevenait la petite fille apeurée, effrayée à l'idée de la moindre transgression. J'ai vite compris qu'il ne servait à rien d'insister. J'imitais sa signature, si claire, si simple à reproduire, comme une clé dessinée par un enfant, sans encoches, qui ouvrirait toutes les portes.

« J'aimerais tenir quelque chose comme vous tenez votre guitare, avec cette tendresse… » À l'angle de la rue, elle cède, être si près, et ne pas aller voir… Il n'y a pas de lumière à ses fenêtres, elle reste là un moment, à se souvenir du plan de l'appartement, essaie de retrouver l'odeur de la chambre, le tableau rouge accroché au mur du salon, la perception de sa joue contre la sienne, quand ils s'allongeaient l'un sur l'autre. Cette dernière image la réveille, elle se secoue, et décide de partir pour ne pas faire durer plus longtemps ce qu'elle doute maintenant d'avoir vécu.

Elle rassemble ce qu'il lui reste de courage, se répète qu'il faut rentrer, mais la perspective de s'étendre seule sur le couvre-lit sale de son meublé la retient. Et voilà une sensation que je connais bien, celle de ne pas savoir où aller. Combien de fois j'ai pu errer ainsi, adolescente, en quête d'un refuge qui n'existait pas.

Elle est plus sage que moi, ma mère, elle ne marche pas des heures à la poursuite d'une chimère, elle se décide lentement à regagner Pantin. Et en partant, elle le voit. Il attend un taxi ou quelqu'un au bout de la rue. Il aurait pu l'apercevoir lui aussi, mais il regarde ailleurs. Il y a des chocs silencieux, presque invisibles, qui modifient entièrement le fragile équilibre d'un être, et passent pourtant inaperçus : le vieux monsieur qui sort de l'immeuble ne voit en elle qu'une passante discrète, une petite femme enceinte sans histoire, alors que cet homme surgissant du coin de la rue vient de la mettre en pièces. Le vieux et le chien frôlent celui qu'elle aimerait tant rejoindre, sans lui prêter la moindre attention. Un taxi décharge ses passagers, force un camion à s'arrêter, le masquant un instant. Et c'est presque une victoire de le voir réapparaître, comme si rien ne pouvait plus l'éloigner désormais.

Le chien aboie plus loin, irrité par une femme qui traverse en courant. Celle qu'il guettait sans doute, car son visage entier s'illumine à son approche. Elle porte un manteau avec une capuche sur la tête. Il faudrait que le vent soulève le tissu, la décoiffe, elle la reconnaîtrait peut-être. Il l'entoure de son bras. Ce geste ranime sa colère, une colère immense, et une honte presque aussi grande. Aller leur parler, leur montrer son ventre rond, plein de lui, leur rendre la violence du choc qu'elle est en train de subir, seule. Mais elle s'éloigne, ses jambes la portent, mécaniques, même dans sa colère et sa haine, elle garde ses vieux réflexes d'enfance, sa discrétion, sa politesse, toute sa bonne éducation. Elle s'efface, leur laisse la place, disparaît au coin de la rue, regrettant déjà de n'avoir pas eu le courage d'aller voir le visage dissimulé sous sa capuche noire. « Tu me verras dans tes rêves… », lui chuchote l'inconnue sur le chemin du retour.

Les visites à la clinique se succèdent avec une rapidité qui la surprend toujours. L'accouchement approche et, pour la seconde fois, il est question du papier à signer. Une sœur lui demande si elle se sent prête, parle-t-elle de l'accouchement lui-même ou de la signature du papier ?

Elle n'a jamais su comment aborder le problème du papier. Qui questionner. Depuis le début, sa famille exige qu'elle le signe, personne n'envisage autre chose. Elle n'ose pas dire qu'elle aimerait pouvoir le lire, tout simplement. Elle est toujours accompagnée de son frère, d'un parent, qui veille à ce que tout se déroule comme prévu. « Êtes-vous prête ? », demande à nouveau la sœur.

Cette question fait-elle partie du processus, cela l'engage-t-elle, est-ce que quelqu'un va noter sa réponse quelque part ?

Alors, pour la première fois, elle a le courage de dire, devant son frère et son père, qu'elle ne sait pas.

« Comment, vous ne savez pas ?

— Je ne sais pas, ma sœur, si je suis prête. Je ne suis pas sûre d'être prête.

— Il faut que vous le soyez mon enfant, il faut l'être !

— Je sais bien, ma sœur, mais que se passe-t-il si je ne le suis pas ? Comment procède-t-on, dans ce cas ?

— Mais est-ce que vous vous rendez compte… ? C'est très compliqué, il faut que nous puissions être sûres, enfin vous devez être sûre, vous comprenez ?! »

La sœur devient rouge, se met à transpirer. Son père se balance d'une jambe sur l'autre, puis regarde sa fille avec une expression qu'elle lui connaît bien, un savant mélange de reproches et de honte.

Elle regrette aussitôt d'avoir créé un tel embarras, aimerait trouver pour chacun une porte de sortie honorable. Son hésitation laisse tout le monde confus et mal à l'aise, mais aucune phrase ne vient la secourir, tout est flou. Elle a l'impression de regarder la bonne sœur à travers une vitre opaque, tandis que ses pensées restent agglutinées les unes aux autres, comme des mouches prises au piège sur le papier collant du plafonnier de la cuisine.

« Je vais en parler à la mère supérieure, et il me semble que vous devriez aussi en rediscuter entre vous !

— Non, je vous assure, ma sœur, c'est inutile, elle sait très bien ce qu'elle veut. N'est-ce pas ? Tu sais ce que tu veux ! Ne vous inquiétez pas, nous avons beaucoup réfléchi. De toute façon, compte tenu de sa situation, il n'y a pas d'autre solution…

— Oui, elle est un peu fatiguée, mais rassurez-vous, tout est clair, tout est très clair.

— Bien, alors je vais vous préparer tout ça et vous signerez au plus vite, mademoiselle, nous avons déjà trop tardé. Il ne s'agit pas que de vous ! Plusieurs personnes sont concernées dans cette histoire, vous me comprenez ?

— Oui ma sœur, je comprends.

— Reposez-vous, jeune fille, vous n'êtes pas loin de la délivrance. Et ne vous tourmentez pas, vous avez pris la bonne décision. Pensez à ceux qui vous en seront toujours reconnaissants… »

Ils sortent, exaspérés, son frère propose de se réunir à nouveau, mais elle ne les entend plus, elle pense à l'étudiant des Beaux-Arts qu'elle vient de rencontrer et au bruit du cœur dans le monitoring, on dirait une course, un cheval lancé au galop. Seules quelques phrases lui parviennent, et résonnent au milieu de tous leurs discours :

« … une famille pourra l'accueillir, signe ce papier. Arrête de ne penser qu'à toi, fais-le pour l'enfant, fais-le pour lui ! » Elle regarde autour d'elle, cherche un appui dans l'espace, et elle imagine son étudiant construisant dans la cour de la clinique une sculpture immense de plusieurs étages avec tous les membres de sa famille, empilés les uns sur les autres, mêlés de temps en temps à une bonne sœur, et au sommet, la mère supérieure se débattant pour garder son équilibre. Elle ferme les yeux mais cela ne fait pas disparaître l'image. Il faut que je retienne ce rire, se répète-t-elle en respirant profondément. Elle y parvient, presque.

L'étudiant lui rend toutes sortes de services, il remplit son frigidaire, porte ses sacs, s'il ne vient pas la voir, il l'appelle, il appelle tous les jours, et devient vite indispensable. Elle se demande si la chance n'a pas tourné, est-ce que la vie recommencerait à s'éclairer pour elle ? Peut-être a-t-elle gagné au change, il n'est pas très grand, pas vraiment beau, mais il charme tous les gens qu'il rencontre. Ses dessins lui plaisent, des portraits, des esquisses de femmes nues au crayon, d'après les modèles vivants qui posent pour les élèves dans une salle glacée des Beaux-Arts. Il ne lui propose pas de la peindre mais fait en sorte de la posséder pour toujours, il propose de garder l'enfant, d'en devenir le père. Il l'aime telle qu'elle est, telle qu'il l'a connue.

En échange de quoi ? Dans les films, les héros sauvent toujours les femmes en détresse sans contrepartie, pour la beauté du geste.

Et dans la vraie vie ?

Le jour de l'accouchement arrive et elle n'a toujours rien signé. Elle ne sait pas si cet enfant pourra vraiment être le sien. Pourtant, elle se sent plus forte, quelque chose est sur le point de se briser et étrangement ça n'est pas douloureux. L'accouchement ne lui fait pas peur. Si elle était douée pour ça ? On lui a tellement répété qu'elle n'était brillante en rien, dans aucune matière à l'école, qu'elle n'avait aucun talent particulier. Si elle avait celui d'accoucher sans trop de difficultés, et surtout de savoir ensuite tenir l'enfant dans ses bras ? De savoir porter ce corps minuscule, qui s'abandonnera en croyant qu'il fait encore partie d'elle, qui pensera presque, dans son innocence, que c'est lui qui la porte, que c'est lui qui la prend dans ses bras. Elle ne voit même plus le papier qu'on lui tend, qu'on agite sous ses yeux, elle n'est plus réceptive à la pression qu'on exerce sur elle depuis des mois. Il y aura des gens déçus, ce couple qui attendait. Peut-être. Maintenant elle se concentre sur son enfant, qu'elle ne connaît pas encore, mais qui crée déjà un rempart infranchissable entre elle et eux.

Dès le lendemain de sa naissance, ils sont revenus. Son père et ses sœurs sont restés un long moment silencieux, son frère a tout de même fait l'effort de quelques paroles de circonstance. Puis ils sont repartis, la laissant seule avec son enfant.

Elle comprend à leur façon de dire au revoir qu'ils ne reviendront plus.

Tout ce qui vient d'eux lui est égal désormais. Et tout ce qui ne viendra jamais.

Les bonnes sœurs proposent régulièrement leur aide, qu'elle refuse toujours. Dans la chambre, on n'entend pas de pleurs, aucun cri, elle n'appelle jamais pour poser une question, ni pour les soins. De toute évidence, ils n'avaient plus besoin de personne.

De ses yeux qu'il peine encore à ouvrir, l'enfant fixe les ombres qui se dessinent au plafond. Le deuxième lit de la chambre est vide. À son arrivée, une jeune femme comme elle quittait la clinique avec son nouveau-né, accompagnée du père, bien sûr, mais aussi d'oncles et de tantes, venus là pour aider, porter les affaires, le couffin, les fleurs…

Avant de partir, il leur a paru indispensable de dire quelque chose, de glisser comme tout le monde un commentaire sur l'enfant : « C'est incroyable, ce qu'il a l'air sérieux ! Il n'a pas vraiment le visage d'un bébé, mais celui d'un homme déjà, vous ne trouvez pas ?...»

Ils n'ont pas refermé la porte derrière eux, elle les regarde disparaître dans le couloir. Elle peut goûter le calme, savourer ces quelques jours dans une chambre blanche surchauffée de la maternité Sainte-F., avant d'affronter le monde. Les pas dans le couloir, les bruits de la clinique, les pleurs à côté résonnent un peu, mais les murs la protègent, comme dans une boîte tiède, en coton, à l'intérieur de laquelle toutes les douleurs et les angoisses ont disparu, anesthésiées. La seule réalité, c'est la présence de cet enfant dans son berceau. Il n'aime pas sentir qu'elle s'éloigne, mais dès qu'elle le touche, lui parle ou reste simplement allongée sans bouger, il s'apaise, confiant, heureux que tout soit à sa place.

Elle flotte comme une amoureuse, plongée dans les yeux de son fils, essayant de comprendre pour quelles raisons il leur semblait si sérieux.

Et puis un matin, très tôt, l'étudiant vient la chercher, il a préparé un grand sac avec toutes ses affaires, pour qu'ils puissent s'installer ensemble dans Paris, et quitter Pantin.

Au début, ils habitent chez des amis. Ils n'ont pas les moyens de vivre ailleurs. Mais pour cette nouvelle famille qui vient miraculeusement de se créer autour de lui, le jeune homme sent se multiplier ses forces et son talent. Il rêve de réussite, d'argent, d'une vie luxueuse. Il respire une telle confiance qu'il gravit les échelons au rythme de ses désirs et de son appétit.

Ils peuvent bientôt louer leur propre appartement, elle reprend ses études.

Elle ne voit plus sa famille, ils ne viendront pas à leur mariage.

Entourée de quelques amis, et des parents de son époux, elle se marie dans une robe en soie marron qu'il lui a dessinée. Il a trouvé tout de suite une place, chez Pierre Cardin. Dans les années soixante-dix, ses parapluies et ses cravates sont partout, dans les aéroports, au Japon, en Chine… Il dessine des tissus, des draps, des moquettes, des nappes et des mouchoirs, toutes sortes d'objets qui peuvent obtenir une licence et se vendre dans le monde entier.

Il lui offre des robes étranges et fantastiques, une orange et bleu en soie, une jaune vif, très longue, une disco en panne de velours violet avec un champignon pailleté sur le cœur, ma préférée avec mes frères, lorsqu'on s'amusait à être elle. On se réfugiait dans sa penderie, elle était imprégnée de son odeur mêlée à celle de son parfum. S'asseoir par terre, au pied de ses robes, m'apaisait davantage que des caresses.

Ce parfum n'existe plus. Ils l'ont arrêté au début des années quatre-vingt-dix. On devrait trouver des moyens pour empêcher qu'un parfum s'épuise, demander un engagement au vendeur – certifiez-moi d'abord qu'il sera sur les rayons pour cinquante ou soixante ans, sinon retirez-le tout de suite. Faites-le pour moi et pour tous ceux qui, grâce à un flacon acheté dans une parfumerie ou un grand magasin, retrouvent l'odeur de leur mère, l'odeur d'une maison, d'une époque bénie de leur vie, d'un premier amour ou, plus précieux encore, quasi inaccessible, l'odeur de leur enfance.

Elle porte la robe champignon avec de grandes chaussures vernies vertes compensées, elle a coupé ses cheveux, ils semblent plus épais encore, drus et bouclés. Un peu déguisée, elle a l'impression de vivre enfin dans son époque.

Elle a définitivement quitté Pantin, même si elle y pense, malgré elle, de temps en temps, car ces six lettres renferment tous ses souvenirs d'angoisse et de solitude.

Elle ne retourne jamais là-bas. Et si, par hasard, il lui arrive d'y passer en voiture, elle ne lève jamais la tête. Comme si cette vie-là n'avait pas existé.

Toute cette histoire a l'air d'être inventée, ou plutôt écrite d'avance, surtout quand on en connaît la fin. Mais je ne peux m'empêcher de prendre un instant d'autres chemins, et de jouer à un jeu effrayant, le jeu des si. Que serait-il advenu, si ma mère avait signé ce fameux papier ? Si mon père n'avait pas reconnu l'enfant ? Ou si, à bout de forces, elle s'était mise en quête d'un médecin ou d'une voisine expérimentée acceptant de lui venir en aide ?

Si je posais cette question à ma mère elle me répondrait, sans doute embarrassée, qu'elle n'y avait jamais songé, qu'elle était très amoureuse, même après la rupture, seule à Pantin, c'était donc une évidence pour elle de garder l'enfant. En 1969, dans le milieu auquel elle appartenait, avec l'éducation qui était la sienne, pouvait-elle concevoir les choses autrement ? Deux ans plus tard, le manifeste des 343 salopes et, seulement six ans après, la loi Veil lui auraient sans doute permis de se questionner plus librement, même si elle était toujours mineure… et qu'ils la traitaient comme telle. Là encore, c'était une question de temps, puisque, en 1974, la majorité civile passerait à dix-huit ans. Elle en avait tout juste dix-neuf, mais connaissait déjà l'arbitraire de quelques mois sur l'échelle des âges, et celui d'une poignée de députés qui tardaient à confier aux femmes les rênes de leur propre vie.

Bien sûr, elle aurait pu le faire en Angleterre, où elle avait passé l'été à gagner sa première paie, ou, comme des centaines de milliers de femmes, s'y risquer seule, avec une brosse à dents, une aiguille à tricoter, de l'eau savonneuse ou du chlorate de potassium, et mettre sa vie en danger.

Il lui fallut une autre espèce de courage pour affronter les siens, leur annoncer qu'elle serait bientôt fille-mère.

Je les vois, je vois leur stupéfaction, leur colère, et la violence de ce qu'elle a subi ensuite.

Mais j'essaie de me figurer quelle grossesse a pu être la sienne, alors qu'ils l'avaient rejetée, bannie. Elle ne possédait aucune ressource, elle était donc entièrement dépendante de leur jugement, et de toutes ces décisions auxquelles elle ne participait pas.

En a-t-elle voulu injustement à l'enfant, lui a-t-elle reproché ce qu'elle subissait ? Lui adressait-elle sa colère autant qu'à ce père parti faire sa vie ailleurs ?

Et eux. Eux, par-dessus tout ?

Face à sa famille, elle a toujours courbé l'échine, accepté d'être malmenée, brutalisée jusqu'à cette chambre, à Pantin. Ensuite elle a navigué à vue, reçu les coups en silence, même si elle se tenait désormais à distance, prête à se retirer comme une vague à la moindre alerte.

Son ventre grossissait-il normalement alors qu'elle devait le cacher, qu'autour d'elle il ne représenterait jamais autre chose qu'une trahison ?

Ils justifiaient leur chantage en lui rappelant combien elle risquait de les couper de leurs relations, de leurs amis... Ils accentuaient le préjudice, dramatisant à plaisir ce que cela leur coûterait, ils seraient déshonorés, voilà ce qu'ils étaient susceptibles d'endurer par sa faute à elle, à elle seule, car le fuyard était loin déjà, oublié. Déshonneur, faute, péché... Quel est le poids de ces mots aujourd'hui ? Difficile d'imaginer que ce chapitre ne se passe pas au XVIIIe siècle, mais il y a seulement quelques dizaines d'années, moins de cinquante ans...

S'autorisait-elle à caresser son enfant à travers la peau fine de son ventre ? Fut-elle heureuse la première fois qu'elle le sentit bouger ?

Ou essayait-elle au contraire de ne pas y penser, comme s'il n'avait pas réellement d'existence ? Se forçait-elle à ignorer sa présence, se préparant ainsi à le voir disparaître ?

A-t-elle attendu longtemps avant de se savoir enceinte, et vécu plusieurs mois dans le déni de sa grossesse ?

A-t-elle rêvé un instant qu'il s'éteigne tout seul, avant que son ventre rond et lourd ne devienne une évidence pour tout le monde, qu'on puisse voir au grand jour son infamie ?

Aimait-elle lui parler, lui confier ses angoisses et ses peurs, sa solitude, car au fond il était le seul être qui lui restait, un dernier ami au milieu de la catastrophe ?

Quand j'essaie de l'imaginer dans cette chambre, elle est allongée sur son lit, ou fume à la fenêtre, se parlant à elle-même. Mais à lui ? Son existence était trop fragile. Cet enfant était de passage, un être en sursis qui la ramenait sans cesse à l'unique alternative envisageable : obéir ou rester seule, démunie, et vivre dans la précarité avec un nouveau-né.

Cette histoire est bien réelle et j'en connais chaque instigateur. Ces parents n'étaient pas particulièrement insensibles, ils pouvaient se montrer attentionnés, pleins de gentillesse, mais pris au piège de leur logique égoïste, ils ont exigé de leur fille qu'elle renonce à tout libre arbitre. Ils ont gâché les premiers moments d'une mère, la rencontre avec son enfant, ils ne lui ont pas laissé choisir ses études, ni son métier en conséquence… En fin de compte, ils ne lui ont donné aucune chance de se déterminer, n'ont témoigné envers elle aucune confiance, en quelque domaine que ce soit. Avaient-ils peur de ne pas remplir les objectifs qu'ils s'étaient fixés, de ne pas accomplir « leur devoir », que cette jeune fille de dix-neuf ans puisse abîmer l'image qu'ils se faisaient d'eux-mêmes, celle qu'ils s'étaient construite depuis des siècles à force de renoncements et de compromis, peur d'esquinter cette chère image qu'ils aimaient tant présenter au monde ?

J'ai rêvé cette nuit que je retournais dans le château qui a vu grandir ma mère. Lorsque j'étais petite, il me paraissait si haut que ces tourelles, dont les épis de faîtage piquaient le ciel, me donnaient le vertige. Si vaste avec ses salles à manger, ses salons, celui de tous les jours et les autres, réservés aux grandes occasions, ses escaliers en bois ou en marbre, celui du grand vestibule où l'on posait à chaque mariage pour la traditionnelle photo de famille, entourés de bouquets roses et blancs, qui dépassaient nos tailles d'enfants. Seuls mes parents ne s'y sont pas mariés, mais quelques années plus tard, mes grands-parents acceptèrent enfin de nous recevoir, et de nous rencontrer pour la première fois. Mon frère avait presque cinq ans, j'étais plus jeune d'un an et un jour, comme les objets trouvés. L'endroit me paraissait disproportionné, intimidant, au point qu'une fois couchée dans les draps blancs glacés, je préférais ne plus bouger, même si j'avais soif, envie d'aller aux toilettes, ou peur d'un cauchemar, tant je craignais de me perdre dans ses couloirs. Le bâtiment principal fin XIXe comprenait deux étages, une autre partie datant du

XVIe siècle était abandonnée. C'était la plus belle, avec son vieil escalier en pierre qui menaçait à chaque instant de s'effondrer et nous était interdit. Cette aile gauche servait de débarras, de grenier. Le sol défoncé était entièrement composé de tomettes cassées qui se désolidarisaient les unes des autres, les murs s'effritaient, et des centaines de toiles d'araignées me dissuadaient d'aller l'explorer avec mes frères. Un troisième bâtiment avait été ajouté beaucoup plus tard, au début du siècle, il ne possédait qu'un simple rez-de-chaussée. Il avait tout de même fière allure avec ses tours et ses toits en ardoise. Peu m'importait que, reconstruit maintes fois, rafistolé, agrandi, on ne lui reconnaisse plus aucune unité. Abandonné, brûlé en partie à la révolution à trois reprises – les insurgés à la cocarde blanche n'avaient pu le sauver –, il représentait, malgré ses blessures, pour l'enfant que j'étais, un véritable château de conte de fées, auquel mon imagination aime toujours rendre visite. Régulièrement, mes rêves me permettent d'y retourner, de longer ses couloirs, de sortir les vieilles poupées des armoires pleines de naphtaline dans la « chambre des enfants », de danser dans le salon, à côté de la cheminée monumentale en bois sculpté, de traverser le parc pour rejoindre l'étang, ou d'ouvrir la porte de la chapelle, pour me souvenir des baptêmes et des messes d'enterrement qu'on y célébrait parfois. Elle n'était jamais fermée à clé, et se trouvait sur le petit chemin en face de la balançoire sur laquelle on s'envolait tous les soirs en robe de chambre et en pyjama.

Le mur extérieur du château était recouvert de feuillage, sauf l'hiver, il ressemblait alors à une peau dénudée aux veines apparentes. Mes grands-parents vivaient là, parmi les statues de saintes vierges, les médailles de saints suspendues partout, tandis que des dizaines de prières illustrées d'images pieuses traînaient sur le piano, les tables, le bureau, dans la lingerie… Le second étage, dans le bâtiment principal, était notre terrain de jeux favori. On jouait « au second », on se cachait « au second », car aucun adulte ne nous y surveillait. Un couloir immense desservait d'abord cinq chambres – la chambre verte, la bleue, la marron, celle dite des enfants, la très grande chambre du fond, avec sa salle de bains et sa baignoire-sabot d'où coulait, en sifflant, une eau orangée qui avait un goût de fer. Et tout au fond du couloir, derrière un rideau de chintz, se cachait une impressionnante collection de livres de la Bibliothèque verte ou rose, à côté d'une centaine d'autres plus anciens. Avec leurs couvertures de cuir frappé d'or, l'intérieur recouvert de papier cuve, ils ressemblaient à des trésors sauvés d'un naufrage, ils devaient être rares, d'une valeur inestimable. J'aimais y mettre mon nez pour respirer longuement l'odeur du papier jauni, une odeur âcre, poussiéreuse, mais pleine de promesses, rassurante. Ces livres en avaient vu d'autres, ils restaient là, quoi qu'il arrive, vivants, nous attendant patiemment, au milieu des nombreuses toiles d'araignées et de leurs cadavres recroquevillés, accrochés au plafond, aux angles de la pièce, à ses moindres recoins. Shakespeare, Hugo, Beaumarchais, Dumas, Balzac, Schiller, Stefan Zweig…

Plus tard, à l'adolescence, j'eus le sentiment qu'ils s'abîmaient dans toute cette poussière, oubliés là, relégués au second, derrière leurs vieux rideaux, alors, de temps en temps, j'en volais un. Je le cachais dans ma valise et l'emmenais à Paris. Moi, je saurai l'aimer, me disais-je pour me justifier. Personne ne les réclamait jamais, personne ne semblait s'apercevoir de leur disparition. Je me félicitais de les avoir sauvés de l'indifférence et du voisinage des innombrables mouches, retournées sur le dos, alignées en colonies sur le sol ou prises dans les toiles d'araignées.

Leur présence m'a toujours rassurée, et il m'arrivait d'en glisser un sous mon oreiller ou de m'endormir en le tenant serré contre moi, je devais imaginer que quelque chose d'eux infuserait pendant mon sommeil. Peut-être recevrais-je leur force de bons compagnons, me réveillant plus solide, imprégnée de leur savoir.

Dans la chambre des enfants, « au second », des vitrines ne protégeaient aucun livre mais de pauvres objets, petites poupées, jeux en bois ou en fer, personnages en coquillages qui semblaient, à nos yeux d'enfants, effectivement dignes d'être exposés derrière ces vitres. En réalité, ce n'étaient que des babioles, souvenirs de vacances recollés, sauvés de la casse et de l'usure du temps, modestes trésors d'enfants qui avaient délaissé leurs merveilleux butins, et étaient devenus les oncles et les tantes avec lesquels je m'attablais tous les matins au petit déjeuner, les écoutant rire de blagues grivoises que je ne comprenais pas. Nous mangions, ou plutôt « déjeunions » et « dînions » dans une grande salle, autour d'une table si imposante qu'on pouvait sans fin y ajouter un couvert. Des marines étaient accrochées aux murs, une tempête surtout attirait mon attention, et je m'inter-rogeais pendant ces interminables repas : lequel des ancêtres, dont les portraits grandeur nature envahis-saient le salon, avait survécu à la tempête sur ce frêle trois-mâts malmené par ces vagues grises et froides, qui me faisait face à chaque déjeuner ? Je m'y embar-quais au cours de la conversation des adultes, qui nous laissait tout le loisir de dériver, nous n'avions le droit d'y participer que si l'on nous questionnait. Au-dessus d'une cheminée en marbre, un miroir doré reflétait les nombreux convives qui s'installaient devant la nappe blanche, et se mettaient aussitôt à tripoter les couteaux à poisson, à viande et à fromage, tandis que, derrière nos dos tenus bien droits, des buffets d'acajou attendaient qu'on les ouvre, prêts à grincer. Les bou-teilles d'alcool y étaient cachées, et à treize ans, après m'être appliquée à les vider consciencieusement, je célébrai ma première cuite. Je me souviens seulement d'avoir chanté tel un marin rêvant de son retour sur la terre ferme, qui ne l'était plus tellement pour moi, *Le Port d'Amsterdam* et *Tiens bon la vague et tiens bon le vent... Hisse et Ho !!*, inspirée sans doute par toutes ces marines accrochées aux murs de la salle à manger.

En attendant cette soûlerie mémorable, je suis sage, les mains posées sur la table, je me tais et fais semblant d'écouter toutes sortes d'anecdotes surve-nues lors du dîner des de J., puis à la soirée des de M. De toute façon je n'ai pas le choix, je n'influençais aucune conversation car, si par mégarde un mot, une acclamation ou un commentaire spontané m'échap-pait, on me rappelait à l'ordre.

Je devais appeler mon grand-père Bon-Papa. Lui nommait tous ses enfants et ses petits-enfants, garçons ou filles confondus : « Mon petit gros. » Il aimait inventer des mots qui, aussitôt, devenaient notre vocabulaire usuel. Voulait-il souligner son appartenance à une grande famille qui, comme un pays, aurait sa propre langue ? Ou simplement rendre vivante l'idée du clan ? Il aimait nous rappeler son histoire, ses privilèges et son ancienneté, parler des Écossais dont il détenait le patronyme. Grâce à eux, nous pouvions revendiquer une ascendance royale avec Marie Stuart. Le chêne immense, près de l'entrée, avait d'ailleurs « vu » le roi de France, et était aussi vénérable, aussi puissant que notre lignée, ces personnages si sérieux qui décoraient les murs du salon et dont le sang coulait désormais en lui, dans son cœur de vieil homme, il n'osait dire en nous. Il sortait parfois « le grand livre » qui en témoignait : « Tiens, regarde un peu qui sont tes ancêtres, mon petit gros. » Pour toutes ces raisons, on ne disait pas aller aux toilettes mais « aller au trône », on ne disait pas c'est bizarre mais c'est « strab », passez-moi le plat mais le « slob », évidemment jamais faire caca, mais « faire gros » ou « faire cok-cok », on ne devait surtout pas dire que quelque chose posait problème, mais posait « un » problème, cette nuance rendait fou mon Bon-Papa, qui, révolté, criait : « C'est comme dire poser culotte !!! » – je n'ai d'ailleurs jamais bien compris cette comparaison. Il répétait souvent une expression pour en faire ressortir le second degré, comme par exemple : « Vous êtes taquin, vous êtes taquin ! »…

Les enfants s'appropriaient avec facilité tous les mots, codes et usages qu'il avait imposés, devenaient vite familiers du vouvoiement, des marques de respect, trouvaient les bonnes réponses, même lorsqu'ils revenaient de vacances passées dans la branche paternelle, roturière, de la famille. Là-bas, on se tutoyait sans se poser de questions et on mangeait sur des napperons en plastique vert pomme dans une cuisine entièrement recouverte de plaques de liège. Le repas se terminait par une joyeuse vaisselle, pendant que quelqu'un racontait une fois encore l'histoire des grands-parents gardes-barrières, de Simone et sa collection de cuillères-souvenirs du monde entier, ou de la tante Molle, une petite couturière qui avait épousé un milliardaire eurasien, tout ça en finissant les bouteilles de vin du grand-père Paul, dont les trois pieds de vigne « ne donnaient vraiment que de la piquette ». Ce Paul, cheminot comme la plupart des hommes de la famille, m'a toujours intriguée. Il clôturait chaque repas en déclamant sur le même ton : « Eh oui, tout ça c'est ben triste… ! » avant de plier consciencieusement sa serviette et de remettre un béret de travers sur son crâne dégarni, trop lisse. Le vieux couvre-chef, qui ressemblait à une galette rassie, se maintenait dans un équilibre précaire, puis il partait sans autre déclaration faire sa sieste. Je me suis souvent interrogée sur cette sortie déprimante : réservait-il ce constat pessimiste aux déjeuners qui réunissaient toute la famille, ou sa femme devait-elle l'entendre à tous les repas, même aux petits déjeuners ?

Tel était en tout cas le vocabulaire, les manières et les phrases coutumières de « ces gens-là », à des années-lumière des autres. Mes frères et moi faisions régulièrement le grand écart, passant du minuscule jardin caillouteux de la rue D. au parc de monsieur le Comte et de madame la Comtesse.

Nous savions d'instinct que, comme notre mère, nous ne serions jamais parmi eux que de vilains petits canards. Mais ça ne nous posait pas « un » problème, ce n'était pas triste, nous nous adaptions et nous amusions au contraire de ces différences. Nous avions pris l'habitude, dès le plus jeune âge, de changer radicalement de registre, et jouions notre rôle.

Lorsque j'accompagnais mamie Monique au marché, place Velpeau, qu'elle demandait le prix de tout, et répondait au fromager d'une voix suffisamment forte pour que toute la file entende : « C'est bien trop cher pour ma bourse !! », ou qu'elle s'insurgeait devant les vitrines de luxe : « Ils nous vendent du tissu comme si c'était de l'or ! Mais tout ça, c'est rien que des nippes… Regarde cette jupe, j'ai à peine de quoi m'en faire un col ! », je souriais en pensant à Bon-Papa qui s'adressait quant à lui rarement aux vendeurs, fréquentant peu les marchés, sauf pour approvisionner ses cages de faisans destinés à fournir le gibier de sa prochaine chasse.

« Combien d'oiseaux, monsieur le Comte ? »

C'est assez « strab », non ?

Loin d'eux, nous vivions autrement. Je n'ai jamais trouvé d'autre lieu qui ressemblait à l'endroit où nous habitions. En allant chez mes copines de classe, j'ai compris très vite combien notre univers était différent, et pour mes amis, franchement déroutant, une espèce de quatrième dimension sans référence d'aucune sorte, ni culturelle ni sociale. Aujourd'hui encore, j'éprouve une grande difficulté à décrire l'atmosphère, nommer un milieu, parler d'une éducation, définir les règles et le cadre de vie qui étaient les nôtres. Ni aristocrates, ni prolétaires, ni bourgeois, on aurait pu appeler ça un environnement pop-post-soixante-huitard-zen, cette tendance japonisante finissant d'ailleurs, au fil des années, par s'emparer de tout l'appartement. Mon père commença par supprimer avec enthousiasme toutes les portes pour les remplacer par des bouts de tissus dénichés dans des temples d'Hokkaido ou du Kansai. Puis toute la vaisselle fut échangée contre des rakus, avant d'être envahie d'imaris. Mais il serait absurde de chercher un adjectif, un nom, une quelconque unité à cette conjonction d'objets, d'idées, de couleurs, de cadres ou plutôt d'absence de cadre – autant essayer de faire rentrer dans la même boîte un garde-manger japonais, un tableau d'Uriburu avec sa girafe peinte en acrylique vert fluorescent, et un dessus-de-lit indien !

Notre vie ressemblait à un rêve étrange et flou, parfois joyeux, ludique, toujours bordélique, qui ne tarderait pas à s'assombrir, mais bien un rêve, tant la vérité et la réalité en étaient absentes. Là encore, et malgré la sensation apparente de liberté, il fallait jouer au mieux l'histoire, accepter les rôles qu'on nous attribuait, fermer les yeux et croire aux contes.

« Au pied de l'arc-en-ciel se dissimule toujours un trésor », nous répétait mon père. Notre univers avait la texture d'un rêve, oui, une enfance rêvée, plutôt qu'une enfance de rêve.

Rouge

L'appartement est traversé par un couloir immense.
Comme dans le film d'Ettore Scola, *La Famille*, je ne
cesse d'y revenir, avec ce travelling de la caméra qui
semble parcourir aussi bien le lieu que les années, une
clarinette accompagne le mouvement et, au ralenti,
l'image se fige devant une porte, puis s'ouvre sur
une nouvelle histoire. Celle du couple est au bout du
couloir. Leur chambre est la seule pièce qui n'est pas
peinte en rouge. Mais un faux plafond jaune réduit
l'espace et les protège d'un ciel coloré, plus intime.
Des triangles de tissus indiens, brodés de miroirs
ronds, sont cousus de chaque côté et dessinent les
contours de la chambre, ils flottent comme des dra-
peaux au moindre courant d'air. Sur un grand lit en
bois clair recouvert d'une fausse peau de mouton, ou
peut-être d'une fourrure de lama, d'énormes coussins de velours rouge sont jetés de façon anarchique.
Le rituel consistant à libérer l'espace pour y dormir
et à le rhabiller entièrement au petit matin demande,
à celui qui s'y colle, un peu de temps et d'adresse,
pour que cet amas ne ressemble pas au champ d'une
invraisemblable bataille de coussins. Sur la porte de

la chambre, un panneau en bois sculpté raconte le temps d'une vie, de la naissance à la mort. Le reste de l'appartement est rouge, et le plafond marron, de l'entrée à la cuisine, du couloir aux toilettes. Seules deux pièces ont été épargnées, ma chambre, vert pomme, et la salle à manger, étonnamment blanche.

Dans la cuisine, trône une table en pitchpin, entourée de chaises en plastique rouge de Joe Colombo. Une vieille cuisinière équipée de plusieurs fours et de boutons en laiton qui ne fonctionnent plus a été conservée et peinte en rouge rutilant, elle aussi. Je ne sais par quel miracle la peinture laquée continue de briller sans se ternir avec le temps, elle ressemble à un jouet, un camion de pompiers neuf. Une grosse pomme accrochée près de la fenêtre côtoie deux miroirs anciens couverts de publicités genre saloon. Et une impressionnante collection de boîtes de bouillon-cube est disposée par ordre de grandeur sur les étagères. « Exigez le K » est encore lisible, sur une plaque publicitaire en fer clouée au mur, une seule lettre manque, qu'on a repassée au feutre.

Dans le salon, un lourd quadrillage en bois, suspendu au plafond par de solides câbles d'acier, supporte d'énormes bambous, et des paniers d'osier chargés de bols, de louches, de fouets pour la cérémonie du thé – curieux assemblage inspiré des garde-manger qu'on trouve dans les temples ou les maisons traditionnelles japonaises. En dessous, la table basse, un large monolithe gris creusé au centre, crée une sorte de puits rempli de sable et de cendres, dans lequel ma mère plante des bâtonnets d'encens au patchouli. Un immense canapé rouge orangé en velours côtelé, typique des années soixante-dix, dessine tout autour un grand L.

Sur une commode ancienne, plus classique, trois statues birmanes dansent.

En face de la cheminée, un tableau noir d'école, couvert de dessins à la craie en partie effacés, s'ouvre comme un miroir, on dirait les traces d'un avion, la nuit, qui déchire le ciel.

De la pièce suivante, mon père a fait son atelier. Derrière la porte blanche, se cache un véritable magasin spécialisé dans le matériel de peinture, des toiles de toutes les tailles, des centaines de pinceaux, d'énormes tubes de peinture acrylique et des sacs de terreau s'entassent partout, à côté d'innombrables seaux d'une colle blanche et crémeuse qu'il utilise pour chaque tableau. Il mélange la glu à cette terre épaisse et noire, et y ajoute ensuite des pigments ocre, marron foncé ou rouge, des rubans, de fausses fleurs en tissu, et parfois des murines de Venise… Presque toutes ses créations sont retournées contre le mur, il n'en a accroché que quelques-unes, celles qu'il considère comme les plus réussies ou peut-être les plus fidèles reflets de ses états d'âme. Dans un grand cadre en bois noir, une mouette empaillée a les ailes recouvertes de terre, elle saigne un peu sur le côté, mais souffre plus encore d'être prisonnière pour toujours de ce goudron fabriqué par mon père.

Un triptyque plus petit, de forme arrondie comme les fenêtres d'un monastère, représente trois moines, trois fantômes enveloppés de tissu blanc durci, sans visages, ils flottent dans leur alcôve au-dessus de la même terre boueuse. Mais l'œuvre qui, enfant, m'impressionne le plus, est une sculpture près de l'entrée, celle d'un corps noir, calciné, transpercé par des dizaines de baguettes en bois, du sang coule de ses blessures comme de la lave. Je me souviens m'être demandé très jeune quelles souffrances avaient inspiré à mon père cet homme brûlé, crucifié. La sienne ? Comment pouvait-il la traduire ainsi ?

Une dernière création, plus ludique, évoque une ville vue du ciel, avec ces petites parcelles vertes ou marron, morceaux de cartons peints disposés sur le sol comme un damier. Des ficelles grises s'entrecroisent, au milieu de ce patchwork, pour dessiner des routes. Plus bas, des dizaines et des dizaines de petites voitures miniatures, de la marque « Majorette », sont prises au piège d'un immense embouteillage…

Deux collections se partagent les étagères. Il y a les boules à neige, en verre ou en plastique, des plus kitchs aux plus poétiques, la tour Eiffel, bien sûr, le Tower Bridge, une cathédrale, des cerfs, des montagnes enneigées, des enfants avec des bonnets rouges jouant autour d'un bonhomme de neige, quand on les secoue les enfants disparaissent sous un épais brouillard puis les flocons retombent lentement comme dans un film d'Alain Resnais. Dans certaines boules, les paillettes ont remplacé la neige et essaient d'imiter la mer, pour qu'un dauphin en plastique gris puisse y nager, ou qu'une sirène reste immergée sur son rocher. Il y en a plein l'étagère, des roses, des dorées, représentant des paysages, des souvenirs de voyages et toutes sortes d'animaux…

L'autre collection est consacrée à Mickey, celui des années trente, des premiers dessins animés, avec les oreilles plus grandes et sa voix suraiguë, très énervante. Des mickeys plus modernes ou plus sophistiqués rejoignent régulièrement l'étagère, comme ce distributeur de bonbons, une grosse bougie, toutes sortes de mickeys en tissus, en plastique, en mousse, des tasses Mickey, à côté de vieilles poupées en feutre ou en chiffon, des jouets datant de 1950, des chariots, des tirelires, des ciseaux, des robots, des gommes…

Et si, fatigué de tous ces objets, on lève les yeux pour regarder les moulures au plafond, on découvre des angelots joufflus, très blancs, accrochés à des guirlandes végétales, qui sourient à chaque coin de la pièce. Malgré la hauteur et leur petite taille, on peut clairement voir qu'à l'un d'eux, celui près de l'entrée, on a collé un sexe.

Le dimanche à Orly

Elle tombe enceinte à nouveau, au bout de quelques mois. Après ce petit garçon adopté, arrive une fille, sa fille. « *Quand Isabelle dort, plus rien ne bouge, quand Isabelle dort au berceau de sa joie, sais-tu qu'elle vole…* » Est-ce par admiration pour Jacques Brel, ou juste à cause de cette chanson, mais il n'imagine pas d'autre prénom pour elle qu'Isabelle.

Le troisième suivra quatre ans plus tard. Lui est attendu, désiré. Il ressemble à son père, ses yeux marron s'assombrissent comme lui quand il est en colère, une colère rentrée, des yeux déterminés qui fixent, ne se dérobent jamais, un nez droit, un menton carré, des cheveux fins châtain foncé, la même franchise… et pourtant, cette force ne l'empêche pas de rester à l'écart, solitaire.

Un jour, déçu, blessé, il déclare à cet homme, auquel il ressemble tant, irrité soudain par les commentaires et l'étonnement que cela suscite depuis toujours : « Maintenant, c'est fini, tu n'es plus mon héros. » Peu après, toute ressemblance s'est effacée.

L'appartement est si grand qu'on le traverse en patins à roulettes, avec des talkies-walkies. Le loyer est ridiculement bas, une sorte de loyer 48, jusqu'à ce qu'une loi, à la fin des années quatre-vingt, autorise les propriétaires à « rééchelonner leur loyer en fonction des appartements similaires environnants ». Le nôtre sera donc, un beau matin, augmenté de cent pour cent. Ma mère déménagera alors place Blanche, près de Pigalle, au deuxième étage d'une pizzéria à l'enseigne orange, juste en face d'un night-club, « Lili la tigresse ».

Mais pour l'heure, nous sommes encore petits et traversons cet espace « infini », sans avoir conscience du privilège que représente ce vaste terrain de jeux.

Les meilleures cachettes sont dans la salle à manger, on se faufile à l'intérieur de sculptures en tapisserie que mon père a dessinées et fabriquées à l'aide d'un immense métier à tisser. Il y en a trois, deux petites et une plus grande : de gros cubes vert clair et brun d'où sortent d'innombrables racines qui tombent jusqu'au sol. Les enfants peuvent s'accroupir dedans, comme dans un ventre. Lorsque la sonnette de l'appartement retentit et qu'un visiteur inconnu entre, ils s'y blottissent les uns contre les autres, pour n'en sortir qu'une fois débarrassés de l'intrus.

La plupart du temps, la maison leur appartient. Elle ne se remplit que rarement, pour des occasions spéciales. Les parents n'utilisent cette salle à manger que lorsqu'ils reçoivent des amis à dîner, ou quand ils organisent pour des potiers une exposition amicale. Ces habitudes disparaîtront bientôt, et la maison deviendra au fil des années silencieuse et solitaire.

Mais avant que l'appartement se vide, résonnent encore les conversations, la musique, les rires. Et malgré toute leur sauvagerie ou leur timidité, les enfants savourent ces heures durant lesquelles la fête se prépare. Il faut alors déplacer une vingtaine de laques rouges tibétaines, et deux énormes fauteuils prototypes créés pour une exposition au Grand Palais : « le Fauteuil de la Violence » et « le Fauteuil de l'Enfance ». Le Fauteuil de l'Enfance est bleu clair avec des grelots, il est aussi rassurant et serein qu'un ciel bleu d'été, qu'une nuit très douce, une boîte à musique pour endormir les nouveau-nés. Le Fauteuil de la Violence est noir, couvert de clous pointus, tapissé à l'intérieur de velours rouge sang. Il est d'autant plus inquiétant qu'il est accompagné de la peinture hyperréaliste, accrochée derrière, d'un homme nu, tombé à la renverse, mort ou blessé. L'homme s'extirpe du fauteuil rouge et noir, il vient de s'en libérer, la tête rejetée en arrière, ses bras l'ont retenu sur le sol.

Quand les invités découvrent l'appartement, ils s'arrêtent sur le seuil. Dès l'entrée, la couleur des murs et du plafond surprend. Des masques dogons, une collection d'Ibéjis, ainsi qu'un grand calao, accueillent les visiteurs, les étonnent par leur nombre et leurs expressions. Surtout quand il fait nuit, les masques ont l'air d'attendre qu'un sorcier ou quelque néophyte jouant à l'être puisse les faire danser, comme au temps des cérémonies ancestrales.

Les habitants, eux, ne perçoivent plus la singularité du lieu, habitués à tout ce rouge, à la crudité des tableaux, à la violence de certaines sculptures, ils ont une relation familière, presque amicale à toutes ces images.

J'évite seulement de croiser le regard de certains masques africains quand tout le monde dort, et que la lumière est éteinte. Je traverse la pièce en courant pour aller chercher mon verre d'eau dans la cuisine, sans me retourner. Je me précipite sur l'interrupteur… Je repasse devant, encore plus vite. J'essaie en revanche de ne pas accélérer quand il y en a un qui s'amuse avec ma peur, et me suit. Accélérer ressemblerait alors à une reddition. Je sais qu'au moment de pénétrer dans le couloir le masque kanaga se transformera en chouette, allez savoir pourquoi, car je ne trouve pas particulièrement « chouette » qu'on me poursuive ainsi jusqu'aux toilettes ou dans mon lit. Je ne saurais l'expliquer, mais cette image représente pour moi celle de la mort, qui vient jouer avec moi, pour que je m'habitue à elle. Adulte, il deviendra problématique de l'évoquer. En grandissant, nous perdons l'imagination nécessaire pour l'apprivoiser, voilà pourquoi l'idée même de la mort nous terrifie.

Je n'aurais jamais cru possible que sa tête de chouette au sourire déglingué puisse un jour me manquer. Elle avait vraiment un sourire étrange – je comprends qu'on puisse rencontrer quelques difficultés à visualiser le sourire d'une chouette, ou d'ailleurs de n'importe quel oiseau, et pourtant, elle souriait…

La musique tourne sur la platine du salon, dans le mange-disque rouge de la chambre des enfants Keith Jarrett, le concert à Cologne, Peter Baumann, ou Tangerine Dream – la discothèque de mon père est presque exclusivement constituée de musiques planantes, Jean-Michel Jarre, et Vangelis pour rêver d'un futur galvanisé par le synthétiseur… Nous nous préparons à entrer dans l'adolescence avec *The Wall*, « We don't need more education… Hey, teachers, leave the kids alone ! », et nous immergeons avec les Beatles dans leur sous-marin jaune.

J'ai de moins en moins d'arguments pour convaincre mes frères de ne pas renoncer à nos spectacles. Plus jeunes, ils acceptaient de jouer dans tous mes sketches, de suivre mes chorégraphies compliquées, d'interminables diagonales guidées par la voix de Brian Eno. Ma première pièce s'intitulait « Ne coupez pas les arbres », je jouais un arbre, j'aurais préféré être Fleur, la fille qui empêchait l'arbre d'être décapité, mais l'arbre était bavard et personne ne parvenait à mémoriser ses monologues, j'enfilais donc ma cagoule marron et tendais mes bras pleins de feuilles vers le ciel. En revanche, nous continuerons longtemps d'organiser toutes sortes de concours de danse, sans pression, car le jury (l'un d'entre nous) changeait tous les deux ou trois 45-tours, et s'arrangeait consciencieusement pour que tout le monde gagne. Pour ces concours comme pour nos premières boums, nous préférons les Bee Gees, Bowie et Supertramp. Le film vient d'ailleurs de sortir, toute l'école en parle. Nous n'avons pas eu le droit d'y aller. « *La Boum*, Sophie Marceau, c'est vraiment trop tarte, allez voir *Dersou Ouzala*, il y a *Orfeu Negro* qui repasse, ou alors *Vingt mille lieues sous les mers*, *Jonathan Livingston le Goéland*, *West Side Story*… ! ».

J'irais voir *West Side Story*, et je continuerais de pleurer avec Natalie Wood la mort de Richard Beymer, bien après que nous étions sortis de la salle de cinéma, si fort que j'embarrasserais mon père dans la rue, sur le chemin du retour. J'étais devenue, comme elle, une veuve inconsolable.

Nous avions déjà rencontré les mêmes objections avec *Goldorak*, ainsi qu'un rejet définitif et sans appel des poupées Barbie : « Vous n'allez pas regarder ces merdes ! Les Barbies, c'est moche, c'est kitsch et misogyne, tu préfères pas un livre, bon sang pourquoi les enfants ont toujours un goût de chiotte !

— Je pourrais pas en avoir quand même juste une, la Barbie Beauté qui a les cheveux qui poussent quand on appuie sur sa tête ? Ou alors la princesse Leïa ?

— Encore des histoires de princesse ! Ça te plaît, la monarchie ? Ah ça ira, ça ira, les aristocrates à la lanterne, les aristocrates on les pendra…, chante-t-il malicieusement. Regarde la famille de ta mère, que des fins-de-race ! »

Nous essayons seulement de ne pas montrer aux autres nos lacunes, et combien, parfois, nous nous sentons décalés, car il est inutile d'insister pour les films, les jeux, ou les majorettes…

Tous les étés, dans les fêtes de village, je regarde défiler les majorettes, celles de mon âge me fascinent mais aussi les plus vieilles, qui gardent envers et contre tout le look « jupette et socquettes blanches ». Peu m'importe si certaines, trop grandes ou trop enveloppées, supportent avec quelques difficultés ces minijupes rouges ou bleues pailletées, imitant celles du patinage artistique et de la natation synchronisée, je suis émerveillée par l'exercice du bâton qui s'élance, brille sous l'éclat du soleil, virevolte haut dans le ciel, avant de rejoindre la main agile qui lui imprime tous ces mouvements, le dirige comme un chef d'orchestre avec une maîtrise parfaite. C'est mieux qu'un rêve, de la haute voltige !

Est-ce que moi aussi je pourrais apprendre, m'inscrire à des concours de majorette ? « Tu plaisantes, elles sont immondes, regarde la grosse, on voit sa culotte, et celle à lunettes qui a des boutons plein la gueule, c'est pathétique, tu vas pas participer à un truc aussi ringard. »

Je m'entraîne donc seule, lorsque je suis tout à fait sûre que personne ne peut me voir, avec un petit attirail en plastique gagné dans une fête foraine. Dès que la voie est libre, appliquée, déterminée, j'essaie, sans relâche… Je m'entraîne derrière un mur, dans la salle de bains fermée à clé, sur le chemin, à une centaine de mètres de la maison.

Malgré mon désir de bien faire, je constate vite combien une équipe soudée, dont je pourrais faire partie, me serait nécessaire. Le groupe me galvaniserait. Sans guide et sans encouragements mon bâton retombe, retombe lamentablement, je suis sans grâce, rien ne paraît facile et léger comme je l'ai vu faire.

À la fin de l'été, derrière mon mur, je dois me rendre à l'évidence, à moins d'un miracle, je ne deviendrai pas toute seule une virtuose du twirling.

Je remise donc tristement ma jolie panoplie dans un tiroir.

Le désir ne fait pas tout. Non, Brel n'a pas raison de dire que « le talent c'est l'envie ».

Mon rêve de virtuosité se heurtera si souvent à ma raideur, ma maladresse.

« Rêver un impossible rêve… Tenter sans force et sans armure d'atteindre l'inaccessible étoile… »

Les dimanches, c'est plus facile, on rêve ensemble. Toute la famille roule jusqu'à Orly, parce que, comme dans la chanson, « Orly c'est toute une vie pour pouvoir rêver ». On s'installe sur la passerelle et on regarde « s'envoler les avions de tous les pays ». Il est encore possible de se déplacer sur le tarmac sans passer les portiques et sans carte d'embarquement. On peut même s'asseoir dans le nez supersonique du Concorde, à côté du pilote, avant qu'il se prépare à traverser le mur du son pour rejoindre New York en quelques heures.

Après toutes ces visites à Orly, mon frère ne se contente plus d'assembler des maquettes grises, il se voit pilote de ligne. Il peut nommer tous les numéros des Boeing qui passent dans le ciel, s'ils ne volent pas trop haut, repérer le tout nouveau 747... Il marche tout le temps la tête en l'air, et garde un œil avisé sur leurs traces régulières à côté des nuages. Et puis, quelqu'un lui fera remarquer que c'est un métier répétitif, ni plus ni moins que de conduire un autobus, alors il jettera l'éponge, lui aussi. Certains adultes s'inquiètent de voir les enfants rêver.

Mon père, lui, nous assure régulièrement du contraire : « On ne réussit jamais mieux que ses rêves... » Alors on retourne à Orly, même si ça n'intéresse plus mon frère de voir les Caravelles et les A300 s'élancer sur la piste depuis qu'il les prend pour des bus.

De toute façon, après des travaux de sécurité et d'agrandissement, on ne peut plus les approcher, nous devons nous contenter de les voir disparaître derrière une vitre.

Nous chantons chaque jour sur les voix enfantines des Poppys, imaginant faire partie de leur bande, enfin invulnérables, tandis que notre père s'enferme dans son atelier, pour peindre en écoutant un disque d'Yves Simon à plein volume, toujours le même. Francis Lalanne crie aussi des journées entières que « ce serait la maison du bonheur, même à fort loyer, j'suis preneur… ». Peut-être pour s'en convaincre.

Je veux croire que ces premières années ressemblent effectivement à la chanson. Les jeux, les rires, les courses dans l'appartement, peindre ensemble au son des Swingle Singers, les feux dans la cheminée et les pique-niques sur l'énorme table basse du salon, les vacances dans un village provençal, les défilés pour les fêtes de la Lavande, l'hiver les descentes aux flambeaux, se perdre des heures sur des petites routes pour découvrir un nouveau potier, en oublier de déjeuner, les longues marches dans des gorges, et se baigner dans les dernières flaques des rivières asséchées, manger des cornets de frites à la piscine municipale et arpenter les marchés régionaux… Tenter de comprendre l'art conceptuel devant un urinoir à Beaubourg, entendre grincer les sculptures de Tinguely, aller voler les fleurs dans les cimetières, les croix en perles ou les émaux des couronnes pour décorer nos tableaux, faire de la patatogravure dans la salle à manger, et fabriquer des cabanes construites pour durer, grâce aux techniques apprises chez les scouts, « Akéla nous ferons de notre mieux, oui mieux, mieux, mieux, mieux… ! ». Mon père essaie, il essaie vraiment de faire de son mieux.

Mais parfois ça dérape, et la partition se remplit soudain d'un tas de fausses notes. Il nous laisse seuls, pendant qu'il visite de nouveaux bureaux. Il ferme à clé la voiture, et sur la banquette arrière nous devons attendre patiemment son retour. Ce ne serait pas si grave si mon grand frère n'était pas abandonnique. Comment pourrait-il en être autrement ? Il pleure, hurle, rameute tout le quartier, les gens s'agglutinent autour de la voiture, essayant de comprendre, de chercher les coupables. Nos parents reviennent après un temps qui nous semble infini. Embarrassés face à l'attroupement, ils nous sermonnent, pourquoi vous gueulez comme ça, et recommencent la fois suivante, malgré nos supplications, nous laissant terrorisés sur les sièges arrière, au fil des visites. Nous essayons de passer par les fenêtres, elles finissent par s'ouvrir en tournant la poignée de toutes nos forces. Nous devons nous contorsionner pour sortir, car les vitres ne s'abaissent qu'à moitié, mais nous sommes petits lui et moi, et ça passe, d'abord les jambes, la taille... On se plie en deux en s'appuyant contre la porte, la vitre nous râpe le ventre, mais faire sortir les bras et la tête est ensuite un jeu d'enfant. Pas plus avancés, nous nous retrouvons sur le trottoir, arrêtant tous les passants pour nous aider... Ils nous ont abandonnés, ne cesse de répéter mon frère, paniqué, rouge de colère et d'angoisse. Il me transmet son vertige. Je le crois, je crois tout ce qu'il me raconte, il est l'aîné, et il en est tellement persuadé, ces abandons répétés dans la voiture ne servent qu'à préparer l'abandon final, définitif.

Et il arrive, le grand abandon.

Il arrive d'une façon inattendue, souterraine, mais pas celui que mon frère craignait, auquel il m'avait préparée. Celui dont nous souffrirons est d'une autre nature, plus sournois, presque invisible.

Imperceptiblement, ma mère quitte la partie, elle s'absente.

Ses yeux se perdent dans le vague, elle se fatigue vite. Ses enfants l'appellent, cherchent à capter son attention. Elle ne répond pas. Elle a l'air flou de quelqu'un qui se réveille au sortir d'un cauchemar et cherche à s'extirper d'un problème qu'elle seule doit pouvoir résoudre, un problème qui la préoccupe nuit et jour. Elle hésite sur les mots, ne termine pas ses phrases. Et surtout, elle ne mange plus. Soudain ça devient une évidence pour tout le monde, elle n'est plus là. Elle est devenue une enveloppe vide. Jour après jour, la petite musique du quotidien se désaccorde, la machine grince et se grippe. J'essaie d'éviter d'entrer dans la salle de bains quand elle se déshabille, pour ne pas voir ses côtes et sa colonne vertébrale qui dessine comme une arête de poisson sur son dos. J'évite aussi de regarder ses mains, elle a toujours eu les mains rouges, sèches, très petites, de toutes petites mains d'enfant, très vieilles d'un seul coup.

Quelque chose en elle s'est radicalement modifié, cassé, je n'ai que onze ans mais je vois bien que c'est irréparable. Elle essaie de sourire, d'être douce, de rester gentiment à l'écoute, mais sa voix vibre d'une drôle de façon, tout en elle s'est flétri, comme ses mains. Elle laisse les conversations s'éteindre. Elle n'en poursuit aucune. Ses phrases s'arrêtent toutes seules, ou restent en suspens, comme si elle doutait de la patience de son interlocuteur, et préférait s'interrompre elle-même plutôt qu'aller au bout sachant combien tout cela sonne faux.

Les repas sont un calvaire. « Mais mange… ! Mange enfin ! » Elle ne répond jamais, le laisse répéter indéfiniment qu'elle doit se nourrir. Les enfants se concentrent sur leur assiette et s'habituent à ce leitmotiv : « Mange ! Tu ne manges rien. »

Quel combat sont-ils en train de se livrer ? Et qui en sortira vainqueur ? C'est vrai qu'il faudrait qu'elle mange. Son obstination est exaspérante, on dirait d'ailleurs qu'elle est faite pour ça, pour le faire enrager. Pourtant c'est elle seule qu'elle punit. Elle garde le regard fixe, se fait plus petite encore, la tête enfoncée dans ses maigres épaules. Elle est si loin, ailleurs, concentrée à chercher des explications. Pourquoi sa vie a-t-elle toujours été si brutale, si compliquée ?

C'est une chose qu'elle n'a jamais comprise, elle s'est approchée du bonheur plusieurs fois, mais à peine entrevu, il lui échappe déjà. Pourquoi est-ce si court ? D'autres se l'accaparent, et arrivent sans trop d'efforts à ne plus le lâcher, alors qu'elle doit se battre chaque jour pour des miettes. Elle s'y accroche de toutes ses forces, mais il finit toujours par se sauver, comme un chien qui préfère changer de maître, jugeant que le sien n'est plus digne de lui. Non, même les chiens ne font pas ça. Ils restent malgré les coups bas, les humiliations, ils restent, aussi étrange que soit cette fidélité aveugle, et incompréhensible l'attachement qu'ils continuent de manifester.

Mais elle, qui s'éreinte à vouloir bien faire, tellement bien faire, tout l'abandonne. Pourquoi ?

Il faut tenir, travailler. Elle a trouvé un poste de secrétaire, elle dit : « assistante administrative ». Loin de ses rêves, de ses premières ambitions, elle aurait pu être interprète, elle ne sera qu'assistante administrative.

Elle espère juste trouver une place quelque part pour se sentir utile. Elle ne prétend pas être indispensable, mais qu'on l'attende chaque matin, qu'on compte sur elle la rassure. Elle aime penser que, peut-être, son absence inquiéterait des gens.

Lentement pourtant, et malgré tous ses efforts, elle s'efface, ne prend presque plus de place, ni chez elle, ni dans les conversations. Elle est en train de disparaître. Elle va devenir aussi mince, aussi blanche, aussi insignifiante qu'une feuille de papier échappée de la ramette d'une photocopieuse.

Elle rumine sa décision pendant des mois et trouve enfin le courage d'aller voir « quelqu'un ». Comme la plupart des gens, elle préfère parler de quelqu'un plutôt que de le nommer, de prendre le risque de prononcer son nom, ce qui reviendrait à dire ce dont il s'agit vraiment : un appel à l'aide, le seul envisageable. Il a fallu du temps pour le reconnaître, mais sans ce « quelqu'un », elle n'y arrivera pas. Elle va à ce rendez-vous discrètement, ne voulant confier à personne que, en sonnant à cette porte dont la plaque métallique dorée dans le hall indique qu'il se situe au premier étage porte droite, elle vient chercher un dernier recours.

Il pleut, la rue est étroite, coincée entre de hauts immeubles. Est-ce que le taxi a fait des détours ? Quand elle arrive, elle a l'impression d'avoir traversé toute la ville. Cette pluie dans la lumière du soir lui donne la sensation d'une journée en sépia, qui n'existerait vraiment ni pour elle ni pour personne, une parenthèse décourageante, nécessitant d'attendre avec patience que le ciel s'entrouvre pour que les cœurs soient de nouveau moins lourds. Il est à peine cinq heures mais les journées raccourcissent en ce début d'octobre, elle se demande pourquoi chaque personne croisée au bureau, à la poste, à la boulangerie, fait mine de s'en étonner, de le regretter avec le même sentiment d'impuissance, comme si cela n'avait pas eu lieu l'année précédente, ni depuis toujours. Elle se croyait en retard, mais croise dans le hall une personne qu'elle imagine être le patient précédent. Elle essaie de ne pas attirer son attention, de ne pas lui montrer qu'il est remplacé sitôt son heure consommée, un client parmi d'autres, sans importance. Elle sonne, et les secondes précédant l'ouverture de la porte sont longues, elle se demande s'il ne serait pas préférable de rebrousser chemin, tant pis pour le taxi qui était si cher. Elle attend devant la porte, et ne sait absolument pas par quoi elle devra commencer. L'idée d'une première phrase lui semble insurmontable, elle n'a en sa possession qu'un énorme paquet ficelé, un bloc indissociable, comment en faire des segments, des morceaux, des phrases ?

Trois quarts d'heure plus tard, elle sait qu'il va la sortir de là, elle en est sûre, même si, dans la rue, cherchant un bus ou un taxi pour rentrer, elle est incapable de se souvenir des mots qui ont jailli de sa bouche sans contrôle, dans un rythme fluide, seulement de sa surprise quand le psy lui a signifié que le temps de la séance était à présent écoulé.

Je me souviens qu'elle avait souri ce jour-là, et aussi qu'elle nous avait regardés dans les yeux. « J'ai eu un bon rendez-vous ! », s'était-elle enthousiasmée, me tressant les cheveux, machinalement. « Un rendez-vous pour ton travail ? », la questionnai-je, heureuse de la voir soudain si détendue, intriguée par sa bonne humeur. « Oui, une sorte de travail », m'avait-elle répondu, énigmatique.

Après plusieurs séances, à son mari qui la trouve changée, elle avoue ses rendez-vous secrets, et à notre grande surprise, il la dissuade de continuer. « Je peux t'aider, moi ! Pourquoi tu veux voir un psy ? Tu ne me fais pas assez confiance. On va s'en sortir, c'est passager, tu verras… »

Ce « passage » durera des années.

Puis un jour, comme dans la chanson de Barbara, elle se réveille, « *Ça ne prévient pas, ça arrive, ça vient de loin… c'est presque rien, mais c'est là, ça vous ensorcelle au creux des reins, la joie de vivre…* ». Elle respire mieux, tout semble aller mieux, elle retrouve son appétit, son regard ne se voile plus que rarement. Elle ne ressemble plus à une noyée, mais garde de son naufrage une trace indélébile, un mélange de tristesse et de résignation, une absence qui se prolonge…

Est-ce que ça a vraiment disparu, s'interroge-t-elle, ou ai-je tout simplement pris l'habitude de la douleur ? Pour s'en prémunir, pour s'empêcher de flotter et être capable de revenir à la réalité : répondre, finir ses phrases, entendre quand on lui parle, elle s'exerce à dissimuler toutes ses peines du mieux qu'elle peut.

Un voile opaque a envahi tout l'appartement, le rouge est passé, il a perdu sa clarté. Un drôle de mystère recouvre les êtres, comme ces draps blancs qu'on met sur les meubles avant de refermer les maisons de vacances.

Évidemment, il est impossible de résister au désir de regarder dessous, sous les draps, le verni, la fine couche de poussière, pour chercher ce qu'on y a enfoui, le déterrer, et trouver ce qui s'y cache, impossible de résister à l'envie de dégager tout l'espace, d'éclairer ces ombres pour qu'elles me parlent, qu'elles cessent d'être ces gens étranges, inquiets et confus, que je ne reconnais plus.

Le placard

« Ô cœur tombé dans les calices… »

Arthur RIMBAUD

Je ferme les yeux et j'essaie de revenir là-bas : longer le couloir de l'appartement, ouvrir la porte de la cuisine, m'y installer à ma place et déjeuner à côté des boîtes de bouillon-cube rouillées, avec tout ce rouge autour de moi. Sentir la table sous mes mains, suivre les dessins du bois. Puis écouter un disque de mon père dans le salon, me cacher derrière les plantes du balcon pour fumer, retrouver cette atmosphère opaque et lourde, ma solitude emplie de toutes les questions qui s'accumulaient, que je ne parvenais pas à formuler. Me glisser dans leur chambre, me retrancher dans la mienne… M'allonger sur la moquette vert pomme pour regarder les fleurs et les immeubles que j'avais peints sur mes murs trop blancs… Pourquoi n'ai-je jamais su quitter les lieux que j'aimais ? Pourquoi est-ce si difficile de les laisser, d'accepter qu'on ne pourra pas les revoir car ils ne nous appartiennent plus, la porte s'est claquée pour toujours, le temps ne fera que nous en éloigner, à moins d'être un bon rêveur, celui qui se souvient toujours de ses rêves, de rêves si clairs et précis qu'ils permettent de s'y attarder encore, d'entrer à nouveau dans ces pièces de l'enfance, sans autre clé que le désir constant d'y revenir.

Mais je vais trop vite, pour l'heure je pars à l'école sans me poser de question. Curieusement, je ne porte jamais l'uniforme bleu marine de toutes mes camarades. J'aime pourtant leurs vêtements bleu et blanc, leurs cols ronds et même leurs chaussettes, qui font comme des pétales autour des chevilles. Je sais bien que les seules autres couleurs autorisées sont le vert foncé, le rose ou le rouge, uniquement par petites touches : des cerises brodées discrètement sur la poche d'une chemise blanche, des boutons de roses, des feuilles de houx sur un col... Je ne porte rien de tout ça, le bleu marine rappelle à ma mère ses douloureuses années de pension, la sécheresse des bonnes sœurs, les dortoirs où règnent les courants d'air et les « Jésus-Marie-Joseph, je vous donne mon cœur... » récités dès le réveil à la mère supérieure. Coiffée de sa cornette blanche et rigide qui la gêne pour manger – les élèves adorent se moquer des reliefs de plats en sauce qui maculent sa corolle après chaque déjeuner –, la religieuse tend aux pensionnaires un récipient d'eau bénite, toutes y trempent leurs doigts gelés et se signent pour commencer la journée. Ma mère n'a aucune envie de donner son cœur à Jésus, ni à qui que ce soit, et encore moins d'entendre les serments des autres filles pendant qu'elle se lave à l'aide d'une petite bassine d'eau glacée, elle rêve juste de se recoucher, ou de prendre la fuite… Ce rituel obligatoire durera pourtant toute son enfance, une éternité. Je vous donne mon cœur… Cœur sacré de Marie… Cœur sacré de Jésus… Je peux vous donner tout mon cœur si ça vous chante, mais je vous préviens, c'est pas un cadeau, il a jamais intéressé personne, moi-même je le trouve franchement insignifiant, rongé comme je ronge mes ongles. Prenez-le quand même si ça vous fait plaisir, j'ai rien d'autre à offrir de toute façon. Allez-y, je vous dis, je m'en fous. « Mademoiselle, je vous entends penser, si les prières vous ennuient, vous irez réciter une trentaine de *Je vous salue Marie* dans la chapelle, et vous rejoindrez vos camarades pour le petit déjeuner… »

Combien de pensionnaires n'ont jamais pu, ensuite, donner leur cœur à cause de ça ? Leur corps oui, tant et plus, mais leur cœur est resté malgré elles aux abonnés absents. Impossible d'expliquer aux amoureux éconduits que ce pauvre cœur s'était sans doute noyé, très jeune, au fond d'un bénitier.

À l'école, je n'ai pas les habits qu'il faudrait, mais on m'accepte avec toutes mes couleurs. Une salopette en jean rapiécée de tissus rouges en forme de cœurs, un tee-shirt Mickey, un bandana, et des sabots me valent tout de même les remontrances de la directrice. Excédée, elle me rappelle pour la centième fois les règles vestimentaires de l'établissement… Et je peux sentir toute l'impatience des maîtresses ou des bonnes sœurs à mon égard, qui se relaient pour les cours de catéchisme et surveillent les récréations. J'aimerais ressembler à mes cousines qui s'exposent rarement au risque d'une faute de style, sont toujours habillées dans les bons codes et les bonnes couleurs, parfaitement définissables.

Je décide de ne plus porter le moindre pantalon, mon idéal devient le kilt. Un kilt bleu et vert foncé, écossais, traditionnel de préférence, rien d'autre. Je ne réalise pas encore que le kilt est la seule jupe que l'on partage avec les hommes… Je veux juste imiter celles qui ont la chance d'être « classiques », vivent avec des parents « classiques », dans des familles « classiques ». Le kilt m'aide, moi qui vis dans une famille bordélique, avec des parents qui détestent l'enseignement catholique, et m'ont pourtant inscrite à Sainte C., une école réservée aux filles qui ne tolère qu'une dizaine de garçons dans les petites classes. Avec mon kilt, j'espère être une élève comme les autres ou alors un garçon, un garçon qui aurait quand même le droit de porter une jupe. C'est un peu compliqué, mais je finirai par démêler tous ces fils à l'adolescence…

Ils se comptent sur les doigts de la main, mais il y en a un dans ma classe dont je suis très amoureuse, c'est un garçon blond au nez en trompette, il s'appelle Carl. Carl Dutot.

Nous nous embrassons sur la bouche dans les toilettes de l'école, avec mon amie Servane. Un baiser pour elle, un baiser pour moi. Le tête-à-tête m'intimide, à trois on se partage la peur.

Je propose de recommencer, immédiatement. L'expérience m'a plu, j'aimerais vérifier que cette sensation nouvelle n'était pas uniquement le fruit de mon imagination. Mais les autres n'éprouvent pas mon enthousiasme et préfèrent sortir des toilettes. Je les quitte à regret, espérant qu'une autre occasion se présentera bientôt, de mon côté je n'oserai plus solliciter de rendez-vous aux WC, derrière la cage à lapins, dans un recoin sombre de la cour de récréation, ou à l'ombre du grand platane.

Quelques semaines plus tard, je confie tout de même à la maîtresse mon désir de me changer dans la cabine de Dutot pour la sortie piscine. Elle fait glisser un instant sa grosse croix en bois d'olivier autour de son cou et, à ma grande surprise, elle accepte. Nous enfilons nos maillots de bain, tous les deux en nous tournant le dos, nous frôlant, surjouant la gêne. J'aimerais que le loquet de la porte se coince et nous empêche d'aller barboter avec les autres, nous condamne pour quelques heures à ne plus quitter la cabine. Il sort pourtant le premier, comme s'il s'éjectait d'un cockpit, et au ralenti je le rejoins sous la douche, regrettant toutes sortes de choses que je serais bien incapable de nommer.

Aux sorties suivantes, Dutot ne m'invite pas à partager sa cabine. Je ne cherche plus à obtenir de dernière faveur… Exiger était proscrit. Demander, y compris des petits riens, m'a toujours paru périlleux. Non par peur d'un refus, mais la démarche elle-même nécessitait tant d'efforts pour la petite fille que j'étais, presque un défi à relever, un exploit. Pour certains, ça paraissait facile. Adolescente, je les repérais vite, comment ne pas les reconnaître : ceux-là s'expriment sans angoisse particulière, semblent à l'aise, dans des circonstances aussi anxiogènes que de mener seul un exposé, être interrogé au tableau sur des logarithmes ou résoudre devant tout le monde une fonction vectorielle, jouer à action-vérité, dans un magasin de chaussures tomber sur une vendeuse autoritaire, face à plus de cinq personnes donner son avis, se rendre à une soirée sans être accompagné, discuter avec des gens qui abusent du sens de la repartie, aller pour la première fois au cinéma avec un possible petit ami ou, pire, devoir lui faire comprendre qu'il ne le sera probablement jamais… Toutes ces épreuves se révèlent particulièrement pénibles, voire insurmontables pour d'autres, dont je me sens aussitôt solidaire.

Bien sûr, tout n'est pas si simple pour ceux qui la possèdent, mais quels que soient les obstacles, ils pourront toujours compter sur cette assurance naturelle… Et si par hasard la route semble plus longue qu'ils ne l'espéraient, ou que leur pedigree ne le laissait supposer, ils garderont la certitude de la réussite au bout du chemin, la conviction profonde que ça ira, quoi qu'il arrive. Bien sûr ils devront parfois faire preuve de patience, mais jamais ils ne resteront dans l'impasse… Ils ont « le truc », « la carte » même s'ils n'en font pas étalage. Leur descendance, jusqu'aux enfants de leurs enfants, en héritera probablement sans réfléchir. Excepté peut-être un fils, une demi-sœur, un vilain petit canard – il y en a toujours un, qui doutera de tout, y compris de ses propres pensées. Quant à moi, je cherche, la carte l'ai-je possédée un jour, l'ai-je égarée ?

Oui ! Je me souviens d'une époque où c'était moi qui disais aux autres ce qu'ils devaient faire. Je me donnais le beau rôle, ensuite je distribuais : qui serait le papa, le bébé ou l'animal de compagnie, moi je ferais la fée et je m'appellerais Fleur... Non, personne d'autre ne jouerait Fleur, Fleur c'est moi !!

C'était moi...

Que s'est-il passé ? Il me semble que cette période bénie a été si courte, à peine quatre ou cinq ans, et me voilà prête à toutes les concessions pour me faire des amis, spécialiste des mauvais choix, même les plus simples, ces toutes petites décisions qui, à sept ans, émaillent encore mes journées. Quand fin août, à la Redoute ou aux Trois Suisses, toute la famille s'habille pour la rentrée sans se fatiguer, je commande moi aussi avec enthousiasme, impatiente de recevoir la livraison, et n'ose jamais avouer, ensuite, que je me suis trompée – pourquoi ce qu'on reçoit ressemble si peu aux photos du catalogue ? Je pourrais facilement réparer mon erreur, mon père n'aurait qu'à renvoyer le colis, j'inscrirais autre chose à la place, une chose qui m'irait. C'est écrit en gros sur le bon de commande : « Échangeable en 48 h chrono ! » Non, je porte la salopette-combinaison rose chinée avec une fermeture Éclair dorée qui se coince chaque fois que je sors des toilettes. Les chemises hawaïennes que nous offre mon père sont toujours trop grandes, je les mets quand même, et n'arrive pas à marcher avec les petits talons que je leur réclame depuis des mois, de toute façon je trébuche aussi dans mes sabots. Mes problèmes vestimentaires sont-ils la cause de cette pénible quarantaine en colonie de vacances ?

Elle commença dès mon installation dans le dortoir et se prolongea toute la durée des vacances, quatre semaines complètes. J'ai beau retourner la question dans tous les sens, je ne parviens pas à m'expliquer un tel rejet, je n'ai pas une très haute opinion de moi-même, mais je sais que je ne mérite pas ce silence que mes camarades m'infligent. Qu'est-ce qui, chez moi, justifie un tel traitement ? Je me remets en question des nuits entières, avec le sentiment d'avoir commis une faute terrible qui m'aurait échappé. Un soir, après la douche, je parviens enfin à interroger une fille, sans témoin elle consent à m'avouer que cette mise à l'écart, personne n'en connaît véritablement la raison, c'est une peste de notre chambrée qui l'a exigée des autres. J'ai ma réponse : elle a le truc ! La carte ! Elle parle et les autres la suivent... !

Je n'ai pas l'assurance d'un chef de bande, j'ai peur, la nuit surtout…

Je ne sais pas de quoi précisément, mais je dois rassembler toutes mes poupées, mes peluches et mes doudous, y ajouter ceux de mes frères, les allonger dans mon lit, alignés les uns à côté des autres, en espérant que leur nombre me protégera. Je n'ai plus aucune place pour moi, alors je me couche sur le côté, serrée contre eux, essayant d'occuper le moins d'espace possible dans mon petit lit à une place. Je me relève aussitôt, en prenant garde de ne pas défaire ce savant dispositif, pour aller chercher, dans le placard de ma mère, son foulard le plus parfumé. Je m'allonge, déplie le foulard pour qu'il m'enveloppe, et je peux croire que ma mère est là, que c'est elle qui m'entoure de ses bras. Si toutes ces stratégies ne suffisent pas à me rassurer, si le sommeil et la peur résistent, j'imagine que la terre n'est pas constituée comme on l'apprend à l'école d'une épaisse croûte terrestre, de plaques sismiques, et encore moins de magma, qu'elle ne contient pas en son centre un noyau recouvert d'un manteau supérieur ou inférieur, non, la terre est un énorme animal qui nous porte avec tendresse, aime nous sentir bouger sur son dos, connaît chacun d'entre nous, nous soutient. Cette bête énorme, et pourtant pleine de délicatesse, prend du plaisir à nous voir évoluer sur elle. Je pense à sa chaleur pour m'aider à dormir.

Ensuite, je pars. Je roule sur un chemin désert, allongée sur mon lit, recouverte d'une lourde couverture, la tête confortablement calée sur mon oreiller. Le ciel est plein d'étoiles, elles défilent à toute vitesse, mon lit va vite, il est équipé d'énormes roulettes qui m'amènent bientôt jusqu'au bord de la mer. Là, je vais pouvoir dormir, bercée par le bruit des vagues qui finissent doucement leur course sur le sable… Mon lit se transforme alors en bateau, et flotte pour m'emporter au large. De nombreux animaux marins remontent des profondeurs, ils m'accompagnent, mais je ne les vois pas, je ne peux pas les toucher, seulement les sentir, deviner leurs ombres qui passent lentement sous les éclats de lune reflétés par l'eau sombre. Tous suivent mon lit flottant, se glissent à mes côtés, comme s'ils m'avaient attendue longtemps. Toute la nuit, tout au long du voyage, ils s'approchent si près dans mon sommeil… par simple curiosité ?

Je préfère penser qu'ils veillent sur moi. Et je me réveille, emplie de leur présence maternelle.

Je suis amoureuse de Carl Dutot. Il me téléphone après l'école au 222-82-80, ou c'est moi qui l'appelle, et nous nous racontons comment nous passons le temps l'un sans l'autre. Le plus souvent, il fait de la peinture, il dit « un portrait », j'entends « un portrait de toi », il doit raccrocher, on l'appelle pour prendre son bain, il veut se coucher tôt pour me retrouver plus vite le lendemain. Nous avons sept ans. Je ne sais plus si nous sommes dans la même classe, je rêve trop pour me souvenir de quoi que ce soit, excepté des récréations. J'ai l'air d'être une bonne élève, au deuxième rang, je fais mine d'écouter, mais je regarde le ciel par la fenêtre, je m'exerce à suivre le vol des oiseaux, et je finis par planer comme eux, transperçant des montagnes de cumulonimbus, à moins que je ne disparaisse, happée par leur douceur de barbe-à-papa… Quand la cloche de la récréation sonne, je me réveille et nous jouons à la guerre, les garçons doivent attraper les filles, je fais en sorte qu'il m'attrape toujours. S'il en attrape une autre, je suis triste et déçue jusqu'au soir. L'émission « L'Île aux enfants » m'aide à tout oublier. « Heureusement les enfants sont arrivés à temps… » Oui, nous, les enfants, sommes des êtres quasi magiques, nous pouvons tout arranger, tout va s'arranger, dis-je aussi souvent que possible à mes parents, alors qu'ils semblent chaque jour plus tristes et préoccupés. Tout finira par s'arranger, c'est certain, grâce à notre présence magique et providentielle.

J'attends patiemment que ma mère m'accompagne à l'anniversaire déguisé auquel nous sommes invités, Carl Dutot et moi. Je fais semblant de lire un magazine. En réalité je reste fixée sur une page, incapable de quitter des yeux une petite fille qui porte une robe de princesse, non pas rose mais orange, j'aimerais aller à mon rendez-vous d'amour dans cette robe-là. Sur la photo, elle prend le bus pour se rendre à une fête, tous les passagers la regardent et lui sourient.

Je ne possède qu'un seul déguisement, une jupe de chaperon rouge, un gilet, une chemise blanche, tous trop petits pour moi. Mais j'ai le costume orange dans la tête, j'imagine que je le porte sur le chemin… On entend les cris des enfants dans la cour de l'immeuble. L'anniversaire a commencé depuis longtemps, les invités jouent à cache-cache et Carl me fait signe de le suivre dans un placard. Notre cachette est la meilleure, personne ne nous trouve. Nous décidons de ne plus sortir, de passer l'après-midi là, à nous tenir la main. Il fait chaud. Nos mains sont moites, mais aucun de nous deux n'ose interrompre la douceur de ce moment, briser le charme en retirant sa main pour l'essuyer sur son pantalon. Je suis heureuse finalement de ne pas porter la robe orange, elle prendrait toute la place dans ce placard étroit et nous empêcherait de respirer. Nous écoutons sans bouger les autres enfants jouer, crier, recevoir des cadeaux, nous écoutons nos respirations si proches, respirons l'haleine sucrée de l'autre, sa peau sent le biscuit, le quatre-quarts ou le beurre tout simplement. J'entends son souffle, malgré les rires et la musique de la fête qui bat son plein derrière la porte, sans nous. Nous restons serrés l'un contre l'autre, parfaitement silencieux. Je sens son corps, sa jambe, son genou surtout. Il est lisse et doux, pointu comme un coude, mais ça m'est égal. Jamais je n'ai été aussi près, même pendant les bousculades de la cantine. Nous attendons l'instant où quelqu'un remarquera

notre absence, et nous cherchera. Mais curieusement, on nous oublie, on nous oublie tout l'après-
midi. Je ne saurais dire s'il s'agit de quelques heures,
d'une seconde ou d'une éternité. S'il est possible de
confondre les temps ou même qu'ils puissent coexis-
ter, c'est dans une pareille confusion que nous nous
extrayons enfin de notre placard, des fourmis plein
les jambes, les cheveux mouillés, et la transpiration
qui colle nos tee-shirts. Nous décidons de sortir de
l'armoire quand les appels de nos parents deviennent
plus sonores et inquiets. Les autres invités sont ren-
trés chez eux. Nous nous saluons sans un regard,
comme deux étrangers ne voulant pas trahir leur
secret, celui d'une émotion inattendue, muette, une
émotion si fine, si délicate, faite de toutes ces heures
passées derrière des robes et des manteaux, sur les
chaussures écrasées de la penderie d'un appartement
que je ne connaîtrai jamais…

Les revues

Un mercredi, pour combattre l'ennui des jours sans école ni fête d'anniversaire, les enfants fouillent un peu partout, comme ils en ont l'habitude. Et sous le lit des parents, côté père, près d'une pile de *L'Écho des Savanes*, ils découvrent une impressionnante collection de *LUI*.

Passée la stupéfaction de la première fois, ils y retourneront souvent, fascinés par toutes ces femmes à poil, dans des poses qu'ils perçoivent, malgré leur jeune âge, comme suggestives : des blondes nues sur des rollers, des femmes debout face à la mer, du sable collé aux seins, comme si elles s'étaient longuement roulé le torse sur la plage, tandis que d'autres lèchent de grosses sucettes colorées ou des glaces ostensiblement à deux boules, une rousse frisée et une Noire se cachent le sexe avec des bouées-canards, puis passent l'aspirateur avec des couettes, mais toutes possèdent une fourrure impressionnante que ni les bouées, ni les tuyaux d'aspirateurs ne parviennent à dissimuler entièrement… Les enfants lisent, ou plutôt regardent autant qu'ils peuvent, à toute vitesse, ils savent qu'ils ne devraient pas, qu'ils doivent être rapides s'ils ne veulent pas se faire prendre. Mais personne n'arrive au bout du couloir, alors ils prolongent leur excitation avec les pages peep-show du *Pariscope*. Ils se risquent même à appeler quelques boîtes de strip-tease pour demander si, par hasard, elles ne rechercheraient pas des filles. En général, ils se font griller tout de suite : « Raccrochez les enfants, allez jouer ailleurs, regardez plutôt un dessin animé, merde ! » Mais parfois ça marche, et leur interlocuteur répond d'une voix posée que oui, il cherche des filles, quel âge as-tu ? Nous ajoutons à notre âge réel une bonne dizaine d'années. Est-ce que tu l'as déjà fait ? demande alors le propriétaire du Liberty Show, très pro, tu as travaillé où avant, tu sais faire un strip ? Viens nous voir… Jusqu'à ce qu'un énorme fou rire réprimé depuis le début de la conversation, né avant même d'avoir composé le numéro, les doigts entortillés dans le fil du téléphone, explose enfin. On raccroche, sidérés d'avoir réussi à tromper le lascar, sans laisser le temps au vieux cochon à l'autre bout du fil de nous crier : « Bande de petits couillons ! »

Finalement calmée, l'excitation sexuelle retombe d'elle-même. On se plonge alors en silence dans une nouvelle pile, exposée celle-là au grand jour, des BD de *L'Incal lumière* et *Ce qui est en bas*, toutes les aventures de John Difool, d'Animah, les *Mémoires d'outre-espace* d'Enki Bilal…

Qu'est-ce que vous faites, les enfants ?
On lit.
Plus tard, la même scène se rejouera, mais cette fois, sous une couverture du *Jardin des Modes*, je découvrirai une grosse pile de *Gai Pied*.

Le piano

> « Mon cœur est comme un piano
> précieux fermé à double tour, dont on
> aurait perdu la clé.
> — Je n'ai pas dormi de la nuit. Il
> n'y a rien d'effrayant dans ma vie, rien
> qui puisse me faire peur, seule cette
> clé perdue me torture. »
>
> Anton TCHEKHOV

Il est verni, d'un bois brun chaud, presque roux,
c'est un piano droit, acheté à crédit. Sous la tablette
repliable où l'on dépose les partitions, on peut lire
H. STEINBACH en lettres dorées, à l'anglaise, et dessous,
en lettres droites, BERLIN. Une frise noire, gravée sur
la partie haute, dessine des vagues, ou peut-être des
guirlandes de feuilles. Les touches sont jaunies, elles
résonnent beaucoup quand on les frappe, sans avoir
recours à la pédale forte. La pédale douce non plus
ne sert à rien, elle n'atténue rien. Mon frère aîné avait
sans doute fini par les neutraliser, il rythmait toujours
ses compositions en appuyant dessus de toutes ses
forces, comme sur la pédale d'une grosse caisse.

Il pouvait jouer pendant des heures, improvisant comme Keith Jarrett. Ce pianiste nous obsédait. Nous l'écoutions, dans le noir, allongés sur la moquette grise du salon. Le concert à Cologne passait en boucle sur la platine, puis mon frère ouvrait son piano, je me glissais dans sa chambre, m'asseyais dans un coin et l'écoutais taper sur les touches, enfonçant la pédale pour faire vibrer la mélodie, et reproduire, avec la même énergie, la musique que nous venions d'entendre. Il commençait toujours en imitant le 33-tours, puis partait ailleurs, c'était parfois triste, souvent plein de colère. Il continuait longtemps, et je finissais par sortir sur la pointe des pieds, le laissant seul avec sa musique. Il ne s'apercevait pas de mon départ, de toute façon il semblait à peine remarquer ma présence. Je savais qu'il ne jouait pas pour moi, il ne jouait pour personne, juste pour lui-même sur son piano transformé en punching-ball.

Je l'admirais. J'aurais aimé posséder ce refuge, pouvoir confier mes émotions à un piano, comme lui, comme Keith Jarrett.

Presque vingt ans plus tard, j'irai voir Jarrett en concert, accompagné de Gary Peacock et Jack DeJohnette, et je découvrirai en images comment se produisaient ces sons.

Après avoir ajusté plusieurs fois son tabouret, s'être essuyé les mains à une serviette blanche, il s'assoit, attend qu'un silence absolu se fasse, et commence à jouer, dos au public. Très vite entraîné par sa propre musique, il se lève et joue debout. Les hanches collées au piano, il crie son plaisir, exactement comme dans le disque du *Concert à Cologne*, on dirait qu'il lui fait l'amour. Il est concentré, entièrement rassemblé à l'intérieur de lui-même, résolument tourné vers le fond du plateau. Cherche-t-il à se dérober aux yeux du public, avec une pudeur maladive, plutôt paradoxale pour un homme qui exerce son métier sur scène, ou nous présente-t-il son dos pour ne pas nous voir, nous ? Ne veut-il pas prendre le risque d'être dérangé par notre présence ? Pourtant, comme Glenn Gould, avec ses gémissements, et tous les souffles qui se mêlent inextricablement à la musique, il nous livre son plaisir, la part la plus intime de lui-même.

Il écoute résonner les dernières notes, longtemps, puis, lorsque tout est fini, qu'il est sûr d'avoir laissé la musique se fondre jusqu'au bout, qu'aucune réverbération n'a été perdue, dans la seconde suivante il s'échappe. Le concert est terminé, il se redresse et entérine la fin du spectacle en s'essuyant une dernière fois les mains sur sa serviette, il n'est pas encore sorti de scène qu'il nous a déjà quittés, il est ailleurs, ne reviendra plus, pas de bis, pas de prolongation intempestive, les saluts ne le concernent plus. Il nous laisse son absence, et le souvenir de sa jouissance.

Le voisin se plaint qu'il n'en peut plus, il monte régulièrement nous dire qu'il craque, exige que mon frère arrête avec ce piano qu'on n'a même pas pris la peine d'accorder. Il faut que ça cesse, ça devient lassant à la fin, est-ce qu'il ne pourrait pas au moins jouer autre chose ? Qu'on lui paie des cours de piano, bordel, Bach, Rameau, ça changerait de cette bouillie de notes. Et pourquoi ça résonne autant ?

La pédale douce, *Una corda*, il connaît ? Elle est cassée ? Il propose de payer la réparation. Il nous offre des bonbons, essaie de nous acheter pour obtenir le calme, au moins le dimanche matin. Mais que font vos parents, bon Dieu ?!

Ils dorment.

Personne ne vous surveille, vous êtes tout seuls ?

Oui, jusqu'à dix heures au moins. On prépare le petit déjeuner pour eux, mais on ne doit pas entrer comme ça, il faut attendre qu'ils commencent à bouger, s'assurer qu'ils parlent entre eux derrière la porte, alors on peut y aller avec notre plateau, surtout pas avant.

Devant l'insistance du voisin qui s'est muée en colère prête à exploser, les enfants décident de ne plus lui ouvrir. Ils filent se cacher, écartant les lianes pour trouver l'accès de la tapisserie carrée. Le vieux rabat-joie hurle : « Je sais que vous êtes là, ouvrez !! »

Ils rient, bien à l'abri, avant de s'allonger à nouveau près de la platine, pour écouter encore Keith jouir de son piano.

Aujourd'hui, ce piano est fermé, j'en ai hérité à la suite de nombreux déménagements. Mon frère a investi dans du matériel plus moderne et sophistiqué. Personne dans la maison ne sait en jouer. En fin de compte, il n'aura été aimé que par ce petit garçon qui lui aura tout confié. Évidemment je ne connais pas ses anciens propriétaires, peut-être qu'une « vraie » pianiste, une musicienne classique, une virtuose savait le combler avec des préludes de Bach.

À présent il se tait, et le voisin du dessous n'y est pour rien.

Branché

Mon père a beaucoup d'amis. Ils viennent à la maison, mais le plus souvent, il sort avec eux. Il a changé sa couleur de cheveux, il les teint lui-même en blond très clair. Il reste des heures dans la salle de bains le matin, il remplit la baignoire à ras bord, il se détend, applique un soin volume-revitalisant pour ses cheveux trop fins et mous. Les enfants doivent lui laisser le plus d'eau chaude possible car le ballon se vide rapidement, alors toute la famille patauge dans un fond d'eau pour qu'il puisse flotter dans son grand bain.

À côté de la baignoire, il y a maintenant un banc et des haltères. Sur les murs, plusieurs affiches l'encouragent, des hommes aux biceps et aux pectoraux gonflés, dont les abdominaux se dessinent jusqu'aux poils du bas-ventre, là où s'arrête la photo. Dans son placard, on retrouve ces affiches et de nouveaux vêtements, plus chics, mieux coupés, des jeans, des sweats, des chemises de marques, plusieurs paires de baskets Nike Air, pour courir.

La mode du jogging commence tout juste, en même temps que celle de l'aérobic. Les dimanches

107

matin, j'attends impatiemment l'émission « Gym Tonic », je la regarde en cachette, essayant de suivre les mouvements secs et répétitifs de Véronique et Davina. C'est au grand jour, en revanche, que j'apprends à faire du roller-skate, je me crois dans un film américain, dans ma tête je vais aussi vite que Jean-Hugues Anglade dans *Subway*. Mon père a rapporté de voyage un gros walkman, je patine tandis qu'il court sur les nappes de *Blade Runner*, ou d'une autre musique futuriste, avec du vent et des vaisseaux qui décollent... Nous en délaissons presque la platine du salon. Les bandes s'accrochent, se froissent, s'emmêlent parfois, mais un stylo Bic et un peu de patience suffisent pour les rembobiner. Nous avons enfin un magnétoscope et je peux revoir vingt fois la même scène si j'en ai envie, entendre inlassablement Michel Serrault crier : « Est-ce que vous allez finir par me foutre la paix, je meurs, barrez-vous !

— Vous souffrez ?

— Bizarrement non, mais je me sens pas dans mon assiette, un peu comme un lavabo qui se vide... »

Mon frère n'improvise plus sur son piano, il s'habille tout en noir, ses copains se prennent pour Robert Smith ou sa version française, Nicola Sirkis, cheveux noirs crêpés, coiffure palmier... Ils font bouger leurs bras sur la musique new wave, même s'ils préféreraient secrètement savoir faire du hip-hop. Ils ont créé leur propre groupe, KP4, c'est un nom provisoire, ils en cherchent un autre, reconnaissant que celui-là sonne un peu comme une marque de produit décapant. Je ne me souviens que d'une chanson :

« *Nuit et brouillard dans la plaine, emmène-moi loin de cette île...* », les paroles sont confuses et semblent plutôt parler d'une histoire d'amour très triste que du décret Keitel, ou du film de Resnais.

Tous les dimanches matin, mon père court plus d'une dizaine de kilomètres, il s'entraîne pour le marathon de Paris, le semi.

Cette mue est lente et n'appelle des membres de la famille aucun commentaire. Dans sa nouvelle peau, il se sent plus jeune, plus beau. Il est fier de tous ses efforts pour ressembler aux affiches de son placard. Il s'est offert une R16 bleue. Il roule très vite. Il conduit à plus de 150 sur l'autoroute, atteint souvent les 180. Il est toujours en retard.

Au milieu des années soixante-dix, il a déjà quitté Cardin et a fondé sa boîte. Les gens aiment le design ludique et coloré, sa marque de fabrique. Starck ne le domine pas encore. Il a des projets plein la tête, des rêves de grandeur. Il crée une chaîne hifi en forme de boule qu'il appelle l'Hélium, on la voit même au cinéma, dans le film *Slogan*, Gainsbourg met un disque à Jane sur une platine Hélium. Il dessine des stylos, des parfums, des produits de maquillage, des lampes, du mobilier de bureau, une moto, la « Squale », qui ressemble à un requin, et une autre qu'il équipe d'une assise en osier avec de grands paniers sur les côtés, une moto pour partir en pique-nique, parce qu'il trouve que les deux-roues se ressemblent tous. Il pense pouvoir répondre à toutes les demandes qui arrivent sur son bureau, peu importe s'il ne connaît rien au domaine concerné. Il parle, il parle à ses clients, et les convainc, aussi facilement qu'il le raconte ensuite.

Un jour il va devenir millionnaire, le lendemain il est au bord de la faillite.

Un été, après avoir traversé la France entière dans sa R16 bleue, nous arrivons enfin, épuisés mais heureux. Sous un ciel étoilé, au son des grillons, nous commençons à décharger le coffre plein à craquer de valises bourrées pour un mois de vacances – il faut toujours s'asseoir dessus à plusieurs pour parvenir à les fermer. Mais à peine avons-nous franchi la porte de la maison que le téléphone se met à sonner. Il faut tout remballer et repartir aussitôt dans la nuit, remonter à Paris au plus vite pour éviter le désastre. Sur le chemin du retour, son angoisse nous plonge dans un silence douloureux que personne n'ose interrompre, il a mal au ventre, prend des cachets, crie parce qu'on ne l'aide pas, il va s'endormir si personne ne lui parle, ce sera notre faute si nous avons un accident. Il roule très vite, ne quitte pas la file de gauche, fait des appels de phares aux voitures qui ne s'écartent pas pour le laisser passer. Je ne sais pas comment, mais je finis par m'endormir.

Malgré toutes les frayeurs qui continuent de surgir quand on ne s'y attend pas, son agence s'agrandit.

Ses enfants aussi grandissent. L'adolescence les accapare, comme lui ils se cherchent une nouvelle peau, lentement, laborieusement.

« Je ne cherche pas, je trouve ! », disait Picasso. Et il raconte encore une fois l'histoire du visage griffonné sur la nappe en papier d'un grand restaurant. Le propriétaire propose à l'artiste de lui offrir son dîner en échange dudit dessin, Pablo accepte, quand le restaurateur ajoute, obséquieux : « Me feriez-vous seulement l'honneur de le signer, maître ?

— Non, répond Picasso en déchirant le coin de nappe. Avec ma signature, j'achète l'établissement ! »

Ils écoutent, mais se sentent démunis, trop fatigués par leurs corps qui changent pour chercher, et encore moins trouver quoi que ce soit.

Dans ce grand appartement rouge où chacun a sa chambre, les portes se referment sur des pensées tristes, souvent mélancoliques. Les rêves et les secrets ne se partagent plus, car personne ne trouve d'interlocuteur. Seul le miroir réfléchit et renvoie un regard qui se pose enfin.

Elle essaie de ne pas replonger. Elle se force à manger, mais a pris l'habitude de séparer chaque plat en deux portions, pour n'en picorer que la moitié. Heureusement, c'est elle la mère, servir à table lui revient, alors elle remplit les autres assiettes, pas la sienne. Depuis quelque temps déjà, des petits comprimés l'aident quand elle doit sortir, c'est si difficile de garder confiance en soi devant une vendeuse autoritaire, ou de choisir vite quand on fait ses courses pour que les gens ne s'énervent pas dans la queue, elle a tellement de mal à se décider, elle n'a jamais pu faire les choses rapidement. À son travail, elle est consciencieuse, on l'apprécie, elle ne refuse jamais de rendre service, et reste toujours à l'écoute, pleine d'empathie. Mais elle quitte le bureau tard, après tout le monde, car il lui faut du temps, toujours plus de temps, est-ce d'avoir tellement vu courir sa mère ? Pour les graphiques, les traductions, s'adapter aux nouveaux logiciels, répondre au courrier, au téléphone, organiser les emplois du temps, les rendez-vous, une chose après l'autre, elle a besoin de temps pour bien faire, faire les choses à fond, jusqu'au bout, et rentrer vidée, épuisée.

Elle s'est trouvé un cours de danse, un cours un peu spécial qui s'attache à reprendre les grandes étapes émotionnelles de la vie, on s'allonge d'abord en fœtus, enroulé sur soi-même, ensuite on prend le temps de s'ouvrir, de se redresser, de marcher à quatre pattes, de jouer, on s'envoie des ballons colorés... Quand elle rentre le soir, elle écoute enfin sa propre musique, un disque de René Aubry, et s'imagine dansant avec Carolyn Carlson, vêtue d'une robe immense qui tourne, comme celle d'une petite fille.

Les enfants passent sans regarder. Ils rêvent d'une mère sûre d'elle dans les magasins, une mère qui ne bafouille pas quand on la questionne, une mère qui ne dessine pas de spirales dans le salon.

« *How long, how long must we sing this song, how long...* » Le troisième album de U2, *War*, devient presque une religion, comme le petit garçon sur la pochette, ils sont en guerre, une guerre larvée, ils aimeraient juste vivre dans une famille classique, banale, avoir un père qui ne se teindrait pas en blond mais porterait des cravates bleues ou grises, aiderait pour les courses, et ne laisserait pas sa femme seule le samedi matin remplir le frigidaire pendant qu'il fait la grasse matinée, avant de se faire couler un bain et d'y rester jusqu'à ce qu'il devienne complètement froid, un père qui n'inviterait pas des copains tout le week-end, ne s'enfermerait pas avec eux dans l'atelier pour peindre, exigeant de ne pas être dérangé. Un père qui n'aurait pas de bizarres sautes d'humeur, qui ne s'allongerait pas dans le noir pour pleurer.

Qu'est-ce qui cloche ? Qu'est-ce qui a tout fait déraper ? Ils n'ont pas toujours été si fragiles. Leur monde n'a pas pu chavirer comme ça, du jour au lendemain, sans signe avant-coureur. Qu'est-ce qu'on n'a pas voulu comprendre, su détecter ? Tout est opaque, impossible d'y voir clair. Comme si un charme s'était emparé de toute la maison, qu'un mauvais génie leur avait jeté de la poudre aux yeux pour endormir leurs esprits et leur clairvoyance. Oui, on dirait qu'ils dorment. Dans le conte, il n'y a pas que la Belle au Bois dormant qui s'évanouit, le château entier et tous les habitants du royaume sont plongés avec elle dans un profond sommeil qui les paralyse.

Les enfants s'ennuient. Les parents, sans doute, aussi. Mais impossible de lire sur leurs visages, ils sont loin, ailleurs, dans une autre vie, inaccessible et compliquée.

« *Sunday bloody Sunday, wipe the tears from your eyes, wipe your tears away…* »

Blanc

Quand je me réveille, je suis allongée dans une chambre d'hôpital, branchée à des appareils qui surveillent ma tension ou mon rythme cardiaque, peut-être les deux. Une perfusion se diffuse lentement, une eau épaisse goutte au-dessus de mon lit dans une pochette en plastique transparent. Une autre jeune fille est allongée tout près de moi, dans le lit voisin. Elle m'observe. Je referme les yeux, j'essaie de me souvenir.

« Ça va ? demande la voisine. On peut dire que t'as bien dormi ! Ça fait des heures que tu dors. C'est les médicaments ?

— Oui. Et toi ? Pourquoi tu es là ? »

Je m'empresse de la questionner pour ne pas avoir à m'expliquer. J'ai honte. En reprenant lentement conscience, je réalise ce que j'ai fait.

« Mon père n'a plus de boulot, il n'arrête pas de gueuler à la maison… Si seulement il pouvait retrouver du travail. C'est l'enfer chez nous, il ne supporte plus rien, et surtout pas ma mère et moi. Ils t'ont fait un lavage d'estomac ? C'est ma troisième TS, et toi, c'est la première fois ? »

Je comprends qu'elle ne me laissera pas tranquille tant que je n'aurai pas craché le morceau, je dois parler, ou au moins livrer un bout de vérité :

« J'ai appris que mon copain sortait avec moi à cause d'un pari. Il disait qu'il m'aimait, mais en fait il avait juste promis à ses amis qu'il m'aurait, c'est tout.

— Quand tu dormais j'ai vu les psy. Ils sont passés, et ils ont discuté avec tes parents. Je sais pas ce que t'as pris, mais tu leur as bien foutu la trouille. Ils vont te garder, c'est sûr. Dès que tu sors de réa, ils te transfèrent dans un autre service...

— J'ai vidé l'armoire à pharmacie. J'ai pris tous les cachets "ne pas dépasser la dose prescrite" et j'ai tout avalé. C'est mon grand frère qui m'a trouvée. Ça fait vraiment mal, le lavage d'estomac.

— Il faut faire les veines. Si je dois recommencer, je change, les barbituriques ça sert à rien. On n'en prend jamais assez... Mais c'est parce que je ne veux pas vraiment mourir. Je veux juste qu'il se calme, qu'il arrête de se défouler sur nous. Au moins les semaines d'après, il est gentil. Toi, tu le voulais vraiment ?

— Oui. Je supportais plus ces discours, ces pensées déprimantes en boucle dans ma tête : demain, c'est un jour spécial, c'est férié, mais mardi ça recommence, mercredi, et puis les jours suivants... Tout m'a paru vide, la semaine qui défile avec l'emploi du temps à l'école, les activités, les déjeuners à la maison, les dîners où personne ne parle, Drucker le samedi soir, le poulet rôti et le gâteau du dimanche... Je me suis demandé si ça valait la peine. C'est long, interminable... Est-ce qu'on va continuer comme ça longtemps ? C'est si vide. Tellement vide que j'ai eu envie de sortir de là. »

Après des heures passées à somnoler, mes parents sont revenus avec une petite valise. « C'est pour ta sécurité, tu as besoin d'être aidée, surveillée, tu comprends ? »

D'une voix trop douce, un médecin m'explique que je suis internée dans le service psychiatrique de l'hôpital des Enfants malades.

Ensemble, nous traversons d'immenses couloirs jaunes décatis, avant de pénétrer dans un espace protégé par de lourdes portes vitrées. Dans une petite cabine sur le côté, deux infirmiers contrôlent les entrées et sorties. On m'amène au bout du couloir, dans ma chambre.

Je m'accroche à mon père. « S'il te plaît, ne me laisse pas, je veux pas rester ici…

— Il faut que tu comprennes ce qui s'est passé. Ça ira mieux après.

— Mais je vais rester là combien de temps ? Tu viendras me voir ? Et maman aussi ?

— Non, le docteur a dit qu'il fallait éviter toutes les visites. On ne sait pas combien de semaines. Ça va aller, je reviens bientôt te chercher.

— Papa ! Pars pas tout de suite, reste encore un petit peu, s'il te plaît. Papa…

— Je peux pas, je dois te laisser maintenant, au revoir ma chérie, soigne-toi bien.

— Papa ! Non, je veux pas rester ici, papa !…

— Au revoir, on revient bientôt. »

Je les vois s'éloigner dans le couloir, une infirmière leur ouvre la double porte vitrée et la referme très vite. Une autre me retient, je crie. Elle me demande de me calmer, mais je veux rejoindre mon père, je veux sortir de là, je résiste de toutes mes forces, alors ils s'y mettent à plusieurs, et me poussent dans une chambre. Je me retourne vers la fenêtre, j'aimerais l'ouvrir, mais juste derrière, une deuxième vitre épaisse m'empêche de respirer l'air du dehors, je comprends qu'elle est là pour que je ne me jette pas au cas où j'en aurais envie. À l'opposé de la pièce, la porte aussi est vitrée, et un grand rectangle est découpé près du lit, pour qu'on puisse tout voir à l'intérieur de la chambre. Le couloir distribue une dizaine de chambres de chaque côté. Elles ne sont pas toutes occupées mais, en face de la mienne, une fille ne me quitte pas des yeux, semble m'attendre. Ses poignets sont enroulés dans des bandages épais. Nous avons à peu près le même âge, quatorze ans, nous nous tournons autour quelques heures, avant de devenir inséparables, plus proches que des amies d'enfance. Chaque soir, bravant la surveillance des infirmiers et l'interdiction de sortir de nos chambres, Isker me retrouve dans mon lit, à la recherche d'un peu de chaleur et de réconfort, ou bien c'est moi qui la rejoins sans faire de bruit. On se réchauffe les mains et les pieds, on se serre, sidérées d'être là, ne parvenant pas à calmer nos angoisses, l'avenir nous donne la nausée, nous paraît gris, sinistre, insurmontable. Un jeune garçon rasé est affublé d'une cicatrice qui laisse imaginer une opération du cerveau, une lobotomie comme dans les années cinquante. Il répète sans arrêt qu'il ne comprend pas ce qu'il fait ici. Il jouait juste avec un pistolet trafiqué qu'il avait emprunté à un copain, il pensait qu'il était chargé de balles à blanc. Quand il a entendu sa mère rentrer, il a paniqué et le coup est parti, sur son crâne. Il n'a jamais voulu se tirer dessus !

Sans doute essaie-t-il de nous prouver avec son histoire qu'il n'a rien à voir avec nous, « les suicidaires », qu'il ne fera jamais partie de notre bande. Pourquoi l'a-t-on mis chez les fous ? Il se croit victime d'un malentendu, d'une terrible injustice, et redoute qu'on l'envoie dans une école de redressement. Il est là depuis quelques semaines et sent bien que ça le menace.

Il trouve tout de suite la nouvelle venue à son goût.

Il regarde longtemps mon dessin de la fenêtre double qu'on retrouve dans chaque chambre. Face à cette seconde vitre qui s'interpose, aucun patient n'échappe à un sentiment de découragement, elle est à l'image de nos vies, bloquées, vouées à buter indéfiniment contre une fenêtre et puis une autre… l'air frais n'est pas pour nous.

J'ai fait ce dessin tout de suite après mon arrivée et le lui ai offert, il le cache sous son oreiller, ça l'aide à dormir, à se sentir moins seul. Ici, on ne cherche que ça. Un geste, un petit signe, des miettes de réconfort, la dizaine d'enfants qui vit là en est affamée. Tous sont à l'affût d'une marque de sympathie, de ce qui pourrait leur donner l'illusion d'une affection, certains rêvent même d'une histoire d'amour. Au bout d'une semaine, il veut « sortir avec moi », m'embrasser avec la langue, et aussi qu'on se caresse un peu.

Son avenir dans un pensionnat pour enfants à mater ne le concerne plus. Il passe son temps à arpenter le couloir pour m'observer en train de dessiner ou d'écouter ma musique. J'ai sans doute l'air complètement perdu, mais je suis vivante, et aussi révoltée que lui. Je déteste que la cuisine au bout du couloir soit fermée à clé, et je m'en veux d'en avoir demandé les raisons à l'infirmière, alors que la réponse s'imposait : pour que personne ne soit tenté de prendre un couteau. Nous préparons régulièrement des gâteaux dans cette cuisine, cela fait partie du programme, une des nombreuses activités censées nous redonner goût à la vie. L'animateur est gentil, même s'il se tend chaque fois que l'un d'entre nous utilise un objet contondant.

Je n'ai jamais faim, les horaires des repas sont toujours une heure ou deux avant ceux du dehors, comme si nous étions redevenus tout petits, des tout petits enfants qu'il faudrait faire manger à 11 heures et à 18 heures.

On prend notre bain à tour de rôle entre 17 et 18 heures. On doit laisser la porte entrebâillée, ne surtout pas la verrouiller, un soignant n'est jamais loin, il vérifie que tout se passe bien en posant régulièrement la question : « Ça va ? Tu finis bientôt ? »

C'est malgré tout un des rares instants où je ressens un peu d'intimité, dans notre service, c'est le seul espace sans vitres. Et la nuit, quand l'obscurité relative du couloir nous isole enfin… je regarde par la fenêtre. Je peux voir un bout de la tour Montparnasse, j'aime la fixer longtemps, elle est l'unique référence, le seul repère qui nous relie à Paris, grâce à elle je sais que je ne suis pas dans un hôpital psychiatrique à l'autre bout du monde, je suis enfermée, mais dans ma ville, je reste chez moi. Les monuments ont peut-être été créés spécialement pour ça, pour que les gens cloîtrés chez eux, accidentés, malades, ou coincés dans leurs bureaux, puissent les voir par la fenêtre. La tour Eiffel, le Sacré-Cœur, le dôme vert de l'Opéra, l'ange de la Bastille ou les tours de la Défense leur rappellent qu'ils font toujours partie du monde, qu'eux aussi bougeront bientôt tout autour, libres à nouveau d'arpenter Paris.

Cette salle de bains, cette cuisine, c'est drôle, veulent-ils que nous nous sentions ici chez nous ? C'est probablement le seul service de l'hôpital qui possède une baignoire ! Est-ce pour faciliter la toilette des plus jeunes ? À notre étage il y a des enfants de six ans. Je penche pour la première hypothèse : offrons-leur un cadre familial, un endroit comme une petite maison, dans laquelle ils pourront rejouer en sécurité leur problématique psychique, accueillons-les dans un foyer rassurant avant de retrouver celui d'où ils nous arrivent, blessés.

Je sens qu'ils veulent nous séduire, nous plaire ! Cette constatation me donne l'idée d'organiser une réunion pour défendre le droit de chacun à fumer. « Nos vies sont déjà anéanties, alors être obligé de se cacher, collé à la toute petite fente d'air qui s'échappe de la double fenêtre, plié en deux à guetter l'infirmière, ça gâche le seul plaisir qu'il nous reste ! Ensuite on nous engueule parce que ça sent !… Ça sent parce que tout est fermé, il n'y a que le froid qui entre ! »

Je fais signer une pétition à tous les pensionnaires, y compris aux plus jeunes qui n'ont jamais touché une cigarette de leur vie : tout être humain, même les pires criminels en prison, non seulement ont droit à leur cigarette, mais en plus ils la fument en plein air !

Je convaincs « les pontes ». Désormais les adolescents seront autorisés à sortir deux fois par jour pour fumer, sous surveillance étroite, dans la cour de l'hôpital.

Nous descendons les escaliers sans cacher notre excitation, et fumons, complices, plusieurs cigarettes d'affilée, inspirant et expirant à pleins poumons ces quelques minutes de liberté.

Dans le placard des jeux destinés aux jeunes patients, je trouve un vieux ghetto-blaster. J'invite notre étage à une fête improvisée dans la pièce à vivre, qui sert aussi de réfectoire. Je mets la musique à fond et on danse sur le carrelage gris beige, les plus grands ont poussé les tables et les chaises en plastique blanc, les mêmes meubles déprimants qu'on trouve sur les terrasses des cafés l'été, dans les gîtes ruraux ou les maisons de retraite. Tout a été étudié pour minimiser les dégâts, au cas où l'un d'entre nous aurait envie de se battre, de se révolter contre son internement. Aucun risque, les chaises sont légères comme des plumes.

On ne se révolte pas, on danse.

Chacun sait que ça peut être long. Personne ne peut prédire quand il obtiendra la précieuse autorisation de sortie, les médecins en décident entre eux. Quelque chose frémit, dont on n'est pas vraiment sûr, et puis un matin, une infirmière vous dit de faire vos bagages.

Grâce au vieux ghetto-blaster qui, par magie, fonctionne encore, et aux cassettes de mon frère, on partage quelques rocks avec deux, trois soignants emballés. Les plus réfractaires nous regardent tout l'après-midi, puis finissent par se dire que l'expérience représente probablement un bon moyen d'expression pour ceux qui commencent à oublier la cour de récréation… Ces boums offrent sans doute une occasion unique pour les ados aux veines tailladées de les sentir battre sous leur peau, au rythme de Police ou Oberkampf, « *Le ciel est teinté de rouge, la banlieue est en flammes, il y a plus que la terre qui bouge, écoute le silence du vacarme…* ».

L'habitude de danser plus d'une heure par jour s'instaure.

Ma confiance revient. J'écris « Vivre, vivre… » sur des dizaines de pages de mon cahier, d'une écriture survoltée de plus en plus large. Avec ces grands V partout, qui remplissent toutes les feuilles, j'ai l'impression d'assister au départ d'une colonie d'oiseaux migrateurs.

Nous sommes presque heureux… Malgré les visites de routine chaque matin, la ronde des blouses blanches en observation, la cuisine toujours soigneusement fermée à clé, la salle de bains à tour de rôle, puis l'extinction des feux avant 20 heures, indissociable d'une copieuse distribution de médicaments… Malgré les face-à-face avec les médecins, devant lesquels il faut faire profil bas pour ne pas rester enfermé *ad vitam aeternam*, les regards intrusifs des infirmiers qui passent et repassent dans le couloir, scannent les chambres, et notre envie irrépressible d'être aussi transparents que les murs… Malgré tout cela, les enfants jouent, deviennent proches, presque amis. Le garçon à la cicatrice est insistant, mais inspire plus de pitié que de menace. Je lui réponds, après plusieurs jours d'embarras, que je ne sortirai pas avec lui, désolée. Il l'accepte tristement. Il se croyait encore au collège, espérant enrichir son maigre quota d'expériences sexuelles. Il continue de m'offrir des tablettes de Galak, « Galak si blanc, si bon… », que sa mère achète pour moi. J'en mange au moins trois par jour. C'est écœurant mais ça m'apaise, je laisse fondre chaque carré dans ma bouche, et j'ai la sensation d'être à nouveau chez moi, devant la télévision, en train de regarder des publicités Kinder, les Bidibulles, mais qu'est-ce que tu bois Doudou dis donc ? Oasis Oasis oh, Oasis Oasis ah… J'aimerais retrouver mon insouciance, ma bêtise devant le petit écran, laisser le temps glisser sans penser à rien. Une adolescente normale que ses parents engueulent parce qu'elle s'abrutit devant la télé au lieu de faire ses devoirs ou de mettre le couvert. J'aimerais tant le mettre, à présent. Et je râlerais quand même. Je râlerais à cause du couvert, mon père me remonterait les bretelles en m'entendant râler… Une histoire simple.

Mais je suis coincée au deuxième étage de l'hôpital des Enfants malades, et il y a maintenant ce nouveau venu qui vient rompre notre bonne humeur inespérée, il est beaucoup plus jeune que la plupart d'entre nous

124

mais il détruit tout sur son passage. Régulièrement, sans raison, il se jette sur le corps le plus proche pour le rouer de coups. Tout le monde en a peur, lui-même semble effrayé par sa propre violence, comme si ça se passait hors de lui, ou dans quelque embranchement inaccessible de son cerveau.

Même s'il est sa première victime, il est impossible de l'aimer. Dans les yeux des soignants, je lis la même consternation, la même impuissance.

Il a à peine six ans, et les adolescents le croisent en rasant les murs, espérant ne pas déclencher par un geste hasardeux ou un regard mal interprété sa colère arbitraire et les crises qui s'ensuivent. Quand ils cessent de frapper l'autre, c'est à lui-même que ses coups s'adressent, dans des pleurs et des cris d'enfant déchirants, incapable du moindre contrôle. Les infirmiers le saisissent à plusieurs pour l'empêcher de se cogner la tête sur le carrelage de la salle à manger.

Un soir, le garçon à la cicatrice m'invite à regarder un film avec Romy Schneider sur une télé minuscule prêtée par son père. Nous n'avons pas la télé dans nos chambres, ni dans la salle de séjour. Cela fait des semaines que je ne l'ai pas regardée.

« Préférer les risques de la vie aux fausses certitudes de la mort », murmure l'actrice, débordant d'une émotion qui la rend si belle. Je note toutes ses répliques dans mon carnet, à côté des pages remplies du mot Vivre. Le film s'appelle *Une femme à sa fenêtre*, encore une histoire de fenêtre. Et si c'était la solution, s'inscrire dans un cours de théâtre, accepter que ça déborde ? Il y aura la sécurité du cadre, du cadre de scène, ou celui défini par la caméra, pour contenir, autoriser, et même encourager ce qui, dans la vie courante, est toujours en trop.

L'émotion est pénible au quotidien, embarrassante. Les mains qui tremblent, les maladresses, tout prête à rire, ou dérange. Je pense à ma mère qui traverse sa journée sur un fil, dans un équilibre précaire, essuyant avec lassitude les reproches qui pleuvent, alors que sur un grand écran, les spectateurs considéreraient peut-être sa fragilité comme un supplément d'âme, une sensibilité un peu naïve qui leur rappellerait celle d'une Mia Farrow... Tout se transforme quand on va au cinéma : la folie de Romy Schneider devient grandiose, le mal-être de Patrick Dewaere bouleversant, le filet de voix de Charlotte Gainsbourg touchant, la fébrilité de Nastassja Kinski sensuelle...

Je n'ai pas beaucoup d'affaires avec moi, quelques habits, le walkman que m'a prêté mon frère, ses cassettes que j'écoute pour m'endormir, « *Sleep, sleep tonight, and may your dream be realised* », et quand malgré les cachets je ne dors pas, je rembobine *Fragile* de Sting, des heures durant : « *How Fragile We Are* », bizarrement ça finit par être rassurant : si tout le monde est si fragile, on doit pouvoir faire avec.

Mais comment ? Comment font les gens ? Pourquoi personne n'a encore écrit une vraie « vie : mode d'emploi », ce serait plus qu'utile ! Quelque chose de sérieux, pas un énième « livre-bien-être » d'un pseudo-psy dont on voit l'après-midi les chroniques à la télé, les conseils d'un médecin réputé à la recherche

126

d'un complément de retraite, ou ceux d'un sage, adepte du yoga et de la méditation transcendantale... Non. J'aimerais tellement trouver mieux, je cherche des heures dans les librairies. Mon angoisse : passer devant, juste à côté sans le voir, manquer Le livre qu'il me fallait, qui aurait été fait pour moi, lumineux, salutaire, dans lequel j'aurais puisé les conseils d'un ami, enfin obtenu les bonnes réponses.

Lorsque je trouve un chapitre qui ressemble à ça, une phrase limpide plus précieuse qu'un bijou, je m'endors avec, sous mon oreiller, près de mes mains, de mon visage, comme si sa substance pouvait m'imprégner pendant la nuit, me transmettre un peu de sa vérité et me protéger de l'obscurité.

À présent il fait grand jour, et l'heure de la visite quotidienne des pontes de l'hôpital approche, les infirmières s'envolent comme une nuée d'oiseaux blancs quand ils débarquent en bande, au bout du couloir, pourquoi partent-elles toujours se cacher ? Est-ce qu'elles les craignent, elles aussi ? Le garçon à la cicatrice est chargé de nous prévenir car sa chambre est la première sur la gauche en entrant : « Voilà la Gestapo ! » Et chacun file se mettre au garde-à-vous près de son lit. Ils entrent : « On peut ? » Ai-je le choix, est-ce que quelqu'un ici a le droit de répondre non ? « Tu laisses tout le temps ta fenêtre grande ouverte comme ça ? Il gèle dehors, tu n'as pas froid ? » questionne un des psychiatres, avec un drôle de nez, trop court. Non. « Remarque, c'est sain », dit un autre, derrière lui. « Ça tue les microbes et les acariens... » Est-ce qu'ils vont vraiment débattre du moyen de se débarrasser des acariens dans ma chambre ? « Eh bien si ça te convient comme ça, on te laisse. » Et ils repartent, soulagés de je ne sais quoi, de quitter ma chambre glacée ? C'est vrai que je vis dans un congélateur... Je ne leur dirai pas que si je laisse la première vitre ouverte, c'est pour qu'il n'en reste plus qu'une seule à ma fenêtre, autant dire une fenêtre normale. Nous sommes en plein mois de février, il ne fait que deux ou trois degrés à l'extérieur et seulement un petit dixième de plus dans ma chambre, mais je veux m'offrir l'illusion d'avoir une fenêtre qui ressemble à toutes les autres.

J'ai encore une heure devant moi avant le déjeuner, c'est long. Dans ma trousse de toilette, un parfum me fait penser à ma mère. Pourquoi est-elle différente des autres mères que je rencontre chez mes amies ? Pourquoi prend-elle ces médicaments ? Pour sortir, se justifie-t-elle, pour prendre le métro. Qu'est-ce qui l'inquiète autant dans les wagons et les couloirs du métro ? Voir des gens fermés, durs, sa vulnérabilité face à eux ? Eux, mieux adaptés, plus solides, menaçants à force de confiance et d'assurance ? Deux boucliers qu'elle ne possède pas.

Mais pourquoi faudrait-il des boucliers ? Pour quelle guerre ? Je m'inquiète, y en a-t-il une nécessairement ? Faut-il s'y préparer, que cela nous plaise ou non ?

Ce parfum s'appelle *La Nuit*. Je ressemble à Winnie dans *Oh les beaux jours* de Beckett, qui prend le temps d'ouvrir son sac, de sortir sa brosse à dents, d'y lire « véritable pure soie », Winnie qui jouit de chaque objet trouvé dans ce sac, car elle est seule, si seule que rien d'autre n'occupe sa journée, rien d'autre qu'un sac et ce qu'il contient. « Oh le beau jour que ça aura été ! » se répète-t-elle pour ne pas constater à quel point c'est vide, parce que, en définitive, ce n'est pas un beau jour du tout, c'est même le contraire ! Il n'y a qu'elle pour l'animer, ce jour, elle et sa joie créée de toutes pièces.

Je me mets une goutte de parfum sur la nuque, une à chaque poignet, puis je retourne à mon walkman ou à mon cahier, tentant de me persuader, comme Winnie, que je suis à nouveau pleine d'espoir : « Vivre » et aussi « m'inscrire dans une école de théâtre » !

Les psychologues décident de me croire, et voilà que les semaines écoulées ici ne seront bientôt qu'un souvenir. Je dis au revoir à mon amie, je me glisse une dernière fois dans son lit, avant d'être reconduite avec fermeté par la surveillante. « Mais c'est la dernière fois ! Je pars demain !

— Je ne veux pas le savoir, tu dors dans ton lit. J'en ai marre de vous voir désobéir toutes les deux.

— Mais madame, elle est triste, je pars demain. Elle reste, elle, et on sait pas pour combien de temps. C'est dur, vous savez, de voir les autres sortir !

— Chacun dans sa chambre !

— S'il vous plaît, on le dira à personne ! Regardez madame, elle pleure. Je peux pas l'abandonner quand tout le monde s'en va. Il y en a plein qui sont partis cette semaine. Elle va se retrouver seule avec l'autre fou qui balance des raclées.

« — D'accord. Mais arrange-toi pour être dans ton lit demain avant l'arrivée de la surveillante du matin. Tu sais à quelle heure elle prend son service ?

— Oui, à six heures. C'est promis, je vous ferai pas prendre.

— C'est toi qui te ferais prendre, pas moi.

— Merci madame.

— J'ai rien fait moi, j'ai rien vu.

— Merci quand même. »

Serrée dans ce petit lit d'hôpital, je joue à consoler celle qui reste.

Je ne peux pas lui dire qu'en réalité c'est moi que je console, moi qu'il faudrait rassurer. Comment lui avouer que le départ tant attendu semble en définitive plus risqué, plus inquiétant que de passer sa vie là, coincée chez les fous ?

Qu'est-ce qui m'attend dehors ?

J'aimerais demeurer près d'elle le plus longtemps possible, à l'abri. Qu'ont-ils prévu pour mon grand retour ? J'ai peur de cette chute vertigineuse que connaissent depuis des mois tous les habitants de notre maison rouge. Je sais bien que la chute ne fait que commencer. Je devine qu'elle va devenir plus douloureuse, plus violente à mesure que nous nous approcherons de sa résolution. Je prie un Dieu qui n'entend pas. Je continue quand même, espérant qu'il pourrait en être autrement.

Je dis au revoir à tout le monde, au revoir et merci.

Ma mère est venue me chercher. Nous passons ensemble les lourdes portes en verre, qui se referment aussitôt derrière nous.

Dehors, les rues, les carrefours, paraissent soudain immenses, disproportionnés. J'hésite avant de traverser, les voitures vont trop vite. Je serre la main de ma mère, je m'y accroche, j'essaie de lui cacher mon vertige. On dirait que le rythme a changé, les gens vivent en accéléré. La lumière est violente, le ciel trop blanc m'éblouit.

« Tu veux qu'on prenne un taxi ?

— Non, je préfère marcher.

— Tu es sûre ? Tu as l'air fatiguée. »

Difficile de lui expliquer que c'est comme sortir d'un profond sommeil, d'une grotte, ou d'une très longue lecture, avec l'impression de n'avoir parlé à personne depuis des mois et de recevoir d'un seul coup la vie dans ses bras, les bruits des passants, leurs conversations, l'odeur des pots d'échappement, les sons aigus des klaxons mêlés à ceux, assourdissants, des moteurs qui redémarrent, d'un avion dans le ciel, les pleurs d'un enfant, un bus qui passe à toute vitesse... Je flotte, je suis encore derrière les doubles vitrages de l'hôpital, dans mon bocal, j'ai froid, et j'observe les gens courir, j'observe ce tableau plein de vie sans en faire partie.

En me voyant, ma mère se demande si elle a pris la bonne décision. Peut-être n'aurait-elle pas dû suivre les recommandations du médecin qui réclamait l'internement. Sa fille a l'air différente. Elle est pâle. Seulement plus mince, peut-être...

Elle s'est toujours sentie coupable avec elle. Insuffisante.

Cette marche les aide, toutes les deux, elles parlent peu, les mots coûtent au début, puis le rythme de leurs pas s'accorde et les mains accrochées l'une à l'autre se décrispent, finissent par se tenir presque normalement, comme pour une promenade ordinaire entre une mère et sa fille.

Des vies imaginaires

J'ai quatorze ans, et je vais au cinéma tous les deux jours.

Un jour pour voir le film, le lendemain pour en rêver. *Mauvais sang* de Léos Carax est mon plus grand choc. J'avais vu *Boys meet Girls* trois ans plus tôt avec mon père, mais là c'est autre chose, je ne regarde pas le film, je vis dedans. J'ai envie de souffler sur le visage de Juliette Binoche, dire « Lise, ma petite Lise… » avec la voix de ventriloque de Denis Lavant, courir derrière lui quand il danse sur David Bowie, caresser la joue de Michel Piccoli. Dans *Mélo* d'Alain Resnais, je suis Sabine Azéma qui plonge dans l'eau glacée de la Seine, et je renonce en entendant Pierre Arditi se lamenter qu'elle puisse avoir si froid. J'aimerais traverser l'écran comme dans *La Rose pourpre du Caire*, rejoindre les acteurs de *Traveling Avant*. Je n'aime que les acteurs français, à part Meryl Streep et Sissy Spacek, parce que je peux m'identifier à Sandrine Bonnaire, rêver de sa fossette dans *À nos amours*, sauver Mouchette du *Soleil de Satan*. Et quand *La Petite Voleuse* avoue à son voisin :

« Je vais au cinéma pour qu'on me rencontre… »,
c'est vrai, c'est de moi qu'elle parle.

C'est toujours vrai, je fais du cinéma pour qu'on
me rencontre ou plutôt pour rencontrer des gens. Je
reste le plus possible sur le plateau, je regarde travailler toute l'équipe avant d'être utile à mon tour, et de
jouer pour eux… La dernière image des *Enfants du
désordre*, Emmanuelle Béart qui entre dans un théâtre
et décide de repartir à zéro, c'était encore moi, ou
même Catherine Mouchet dans *Thérèse*, dont la voix
chuchote inlassablement d'avoir confiance… Je ne
vais pas énumérer toutes les fois où j'ai été rassasiée,
raconter toutes mes histoires avec les films, citer tous
les acteurs qui m'ont consolée, permis de retourner à
la réalité, plus douce après l'avoir vue transposée sur
l'écran, mais c'était bien « moi que je voyais agir tandis qu'elle parlait, quand elle disait : là, j'ai été heureuse, mon cœur bondissait, et quand elle ajoutait :
là j'ai pleuré, mes larmes coulaient. Et figurez-vous
quelque chose de plus singulier encore, j'avais fini
par me créer une vie imaginaire… ». Comme la
Camille de Musset, je m'exerçais à travers d'autres
vies à ne plus avoir peur de la mienne.

Rencontrer des gens, ça manque sans doute d'am-
bition artistique. Évidemment, c'est mieux si l'équipe
est persuadée de participer à un chef-d'œuvre.
Mais un chef-d'œuvre tient à chaque séquence du
miracle… Bizarrement, tout le monde semble
convaincu du contraire. Y compris les critiques, si
vite amers, et peu patients.

Et lorsque le film sort, c'est la même chanson. Si les espoirs sont maigres qu'un film d'auteur fasse aujourd'hui des millions d'entrées, les distributeurs, les producteurs, les acteurs, tous finissent au terme de la « promo » par croire en leur bonne étoile, et s'accordent à penser qu'après tout, personne n'est à l'abri d'un succès !

C'est peut-être mieux, plus juste ainsi, que le rêve ne concerne pas seulement les spectateurs assis dans le noir, mais soit partagé par ceux qui vivent devant et derrière la caméra, quitte à devenir délirants la veille de la sortie, pour finir immanquablement par regarder le podium d'en bas, sans médaille.

Et recommencer quelques mois plus tard…

Je rêve surtout de rencontrer des gens. Je n'ai jamais trouvé simple de faire connaissance, ailleurs que sur un plateau. Mais on se quitte une fois le tournage ou la pièce terminé, et on ne se revoit jamais comme on se l'était promis… Alors je m'offre une seconde chance, j'écris pour qu'on me rencontre.

> « Deux désespoirs qui se ren-
> contrent, cela peut bien faire un espoir.
> Mais cela prouve seulement que l'espoir
> est capable de tout… »

> Romain GARY

Une fin d'après-midi, sur le quai du métro, je crois reconnaître Isker, ma colocataire de l'hôpital psychiatrique. J'ai envie de courir vers elle, de la serrer dans mes bras, de lui demander comment ça va, en caressant ses poignets pour vérifier qu'ils ont cicatrisé au point qu'on ne puisse plus reconnaître ces traces fines, si nombreuses, qui s'entrelacent… Pourtant, quelque chose m'arrête dans mon élan. Tout à coup, je ne suis plus sûre, est-ce bien elle, cette jeune femme sérieuse, apprêtée ?

Isker c'était The Clash, The Specials et les Béru qu'on écoutait en riant, « Mais où est passée la mère Noël… » ! J'avais définitivement gagné son amitié grâce à Okerkampf, « Fais donc attention, la fin du monde arriveee… ! ». Isker était punk, ses vêtements étaient noirs ou gris, déchirés.

Je me suis rapprochée, j'ai tenté un sourire… Elle a détourné la tête, le métro arrivait à toute vitesse.

« Allez, allez, allez !!! » me criait La Souris Déglinguée et je voyais glisser sous mes yeux les creepers d'Isker sur le carrelage de la salle à manger, « Danse le bop de la dernière chance, et le reste du monde s'en balance, allez danse, danse, danse… ».

En une fraction de seconde, elle a disparu dans la foule. J'ai essayé de la chercher. Je me suis mise à douter, mon imagination m'avait sans doute joué un tour… Mais pourquoi l'avoir fait réapparaître aujourd'hui devant moi ? Juste avant que les portes ne se referment, je suis montée dans la rame surchargée de gens qui rentraient du boulot. Au milieu des bras tendus accrochés à la barre, des corps serrés les uns contre les autres, des visages qui s'évitent, je suis revenue à ma solitude, j'étais à nouveau devant ma fenêtre double, les yeux fixés sur la tour Montparnasse qui me rassurait, même si elle ne s'allumait pas encore la nuit. Elle nous prouvait à Isker et à moi que nous faisions toujours partie de cette ville. Dans le lit froid que nous partagions tous les soirs, la tour nous donnait l'assurance que nous n'étions pas en train de dériver à bord d'un bateau-hôpital dont les passagers, des enfants fous, allaient tous disparaître pour une destination inconnue, qu'on ne retrouverait même pas sur une carte.

Le mode d'emploi

Je dors encore, mais des éclats de voix me réveillent, avec une sensation désagréable. Comme en photo j'essaie de faire le focus sur les mots, de comprendre ce qui se dit dans la salle de bains, derrière le mur de ma chambre. Des phrases me parviennent. « Tu veux que je prenne un avocat ? Pas de problème… » Mon père parle comme dans un mauvais téléfilm, j'entends ma mère pleurer. Je voudrais me rendormir, me réveiller plus tard, pouvoir me dire que cette scène ratée n'était qu'un rêve. J'ose à peine bouger ou respirer, s'ils s'apercevaient que je les ai entendus, toutes ces menaces deviendraient au contraire bien réelles, et il serait impossible de revenir en arrière.

Je tombe des nues. Je savais qu'ils n'avaient rien d'un couple d'amoureux. Mais un jour, il y a des années, alors que je l'interrogeais sur leur façon de s'aimer, ma mère m'avait assuré que c'était l'évolution naturelle des choses, « l'amour du début change de forme pour qu'un autre, différent, prenne la place ». Un amour plus profond, moins enjoué et démonstratif mais plus fort, peut-être ? Je n'avais assisté à aucune véritable dispute, parfois leur chambre restait fermée à clé. « Plus tard, on vous ouvre plus tard… », entendait-on derrière la porte. Était-ce pour faire l'amour ou pour s'engueuler, loin de nos regards d'enfants perpétuellement inquiets ?

« Tu savais pour papa ? demande-t-elle à son grand frère, avec précaution.

— Oui, depuis longtemps. Je l'ai vu revenir plusieurs fois au petit matin, il trompe maman.

— Moi aussi, j'ai ouvert la porte pour aller à l'école et il était là, avec sa clé, il était huit heures moins le quart, il rentrait ! Il a eu l'air surpris. Je lui ai demandé ce qu'il faisait, si tôt, sur le palier. Il m'a répondu qu'il avait été chercher un ami à l'aéroport.

— Tu l'as cru ? Ça t'a pas semblé bizarre ?

— Si. Mais c'était lui surtout qui était bizarre.

— Bizarre comment ?

— Il faisait une drôle de tête, comme un enfant pris en faute, et en même temps on aurait dit qu'il s'en foutait.

— On se dit tout, d'accord ? Si l'un de nous sait quelque chose, il doit le dire à l'autre.

— Promis.

— On se parle aux récrés de 10 heures, comme maintenant, c'est mieux qu'à la maison. »

Ils se quittent, émus d'être deux pour faire face, avec un sentiment d'urgence, et le désir partagé de ne pas laisser la situation s'aggraver.

Mais dès qu'ils se retrouvent seuls, chacun perdu dans sa classe, revient la nausée de l'impuissance.

La vie pourtant continue comme avant, les journées ne sont pas bouleversées comme je l'avais imaginé. Tout est pareil. Les dîners sont pareils. Aucun cataclysme n'a encore dévasté la maison. Il y a juste cet échange de regards entre mon frère et moi, quand nous sentons qu'une menace sourde se précise, une réflexion, une tristesse qui passe sur leurs visages, un geste inattendu, plus brusque, ou quand il part soudain à « un rendez-vous oublié avec un ami qui n'habite pas en France, mais reste à Paris pour deux jours… ».

J'entends encore l'inflexion de sa voix, et je crois sentir l'odeur du parfum dont il s'aspergeait généreusement avant de s'enfuir.

Ma mémoire est précise, affûtée, comme si depuis toujours je retenais chaque information, chaque événement, essayais de préserver toutes les sensations, sachant déjà que le moindre détail serait précieux, dès le départ j'avais deviné qu'il n'y aurait rien de banal, qu'avec eux tout serait chargé de rebondissements, de chocs, d'effroi, et quelquefois de chance…

Je pressentais, dès l'enfance, quels curieux personnages m'entouraient. Je saisirais plus tard leur singularité, leur égoïsme, leur perversité, parfois.

Je les regardais se débattre devant moi, aussi vulnérables que des scarabées retournés sur le dos. Comment ne pas s'inquiéter de leur folie, de leur complexité ? Il ne s'agissait que de mes parents, en grandissant notre curiosité préfère se tourner vers d'autres objets. J'imagine que l'habitude, le quotidien auraient dû atténuer les traits. Pourtant, les observer continuait de me fasciner, je mesurais les efforts désespérés, nécessaires, pour tenter d'être libres, capables d'inventer leur vie, ou juste pour tenir debout. Je sentais leur désir de se montrer sincères autant que leur entêtement à rester aveugles… Il y avait du Pirandello en eux : « On n'est pas un, on est mille. » Et j'aimais en grandissant les découvrir si différents.

Non, je n'ai pas pris soin de tous ces souvenirs pour les laisser peu à peu disparaître, ma mémoire n'a pas collecté patiemment, rigoureusement, tous ces détails pour les oublier bientôt.

Je me souviens d'être entrée, une fois encore, dans une librairie en quête de solutions, et d'avoir enfin dégoté le livre que je cherchais, cette fameuse « Vie : mode d'emploi » ! Je l'achetai aussitôt pour le titre, pensant avec naïveté que c'était exactement ce que j'allais y trouver. Mon sourire masquait si bien mon désarroi et cette étrange solitude, mais bon sang, où le trouver, ce mode d'emploi ?!

Comment s'y prenaient les autres ? Ils avaient tous l'air de s'en sortir mieux que nous. Financièrement, mon père nous entraînait sur des montagnes russes, souvent il disait avoir gagné au Loto, nous fêtions sa victoire au champagne, avant qu'il ne se plaigne d'être ruiné.

Pourtant ce sont les gens dotés d'« une vie normale » qui me terrorisaient. J'avais peur de leurs visages trop lisses, derrière ces masques que cachaient-ils ? « Les êtres humains, quels qu'ils soient, représentent tous un danger potentiel, alors restons sur nos gardes, et sourions… ! » Quand je me projette à cette époque, mes pensées ressemblent presque toutes à celle-ci, et me font vivre dans un dessin de Sempé : j'habite une toute petite maison, seule, avec un jardin minuscule entouré d'un mur très haut, surmonté de barbelés. La porte est verrouillée, plusieurs cadenas attestent de mon pessimisme notoire, c'est ceinture et bretelles ! Car je viens aussi d'allumer l'alarme. Je soupire de satisfaction en m'installant dans une chaise longue face au mur, enfin rassurée. Dehors, juste derrière, des enfants jouent, le soleil les réchauffe, pas moi, le mur est trop haut. J'entends des hommes et des femmes qui se promènent, se retrouvent, projettent d'aller au cinéma, j'entends leurs rires…

« J'ai bien fait, me dis-je, je suis vraiment en sécurité ici, tout danger est écarté ! » Même celui d'être heureux.

Mon sourire ne se force plus aujourd'hui, il sourit s'il en a envie. Cela semble une évidence. Mais d'autres savent comme moi combien cela peut demander du temps, beaucoup de temps, une lente et silencieuse révolution.

Comme je suis

Un samedi à midi, ils rentrent de l'école, c'est le week-end tant attendu, même si, ces dernières années, les dimanches ressemblent au *Sunday Bloody Sunday* de la chanson et s'étirent dans la solitude et l'ennui. Mais après tout, n'est-ce pas le propre de l'adolescence, tous leurs amis aussi détestent le dimanche, comme ils détestent les lundis, et parfois même tous les jours de la semaine.

Ils déposent leurs cartables trop chargés, quand ils entendent des bruits au fond de l'appartement. Leur père est en train de vider son armoire dans une grosse valise, les yeux rouges et gonflés, emplis de colère. « Papa, qu'est-ce que tu fais ?

— Je suis viré ! Je dois partir, votre mère me vire !

— De quoi tu parles, papa ? Tu pars vraiment ?

— Oui, elle me vire ! Venez ! Venez, suivez-moi, je vais vous expliquer. »

Les enfants trottinent derrière lui, il marche vite, traverse tout l'appartement, longe le couloir et ouvre la porte de son atelier. Il cherche à retrouver son calme, leur fait signe de s'asseoir et balance : « Je suis homo, pédé ! C'est pour ça que votre mère ne veut plus de moi. Voilà… Voilà pourquoi ! » Le silence s'installe, il semble attendre une réaction, voir naître une complicité, leur approbation, qu'eux, au moins, se rangent de son côté. Tu as raison, papa, vraiment elle déconne ! Mais les enfants ne savent plus quoi dire ni penser, comme si cette révélation ne les avait pas encore percutés. « Elle ne m'accepte pas comme je suis. Je l'avais bien acceptée, moi, telle qu'elle était. On aurait pu continuer comme ça. Mais elle ne veut plus de moi. Elle me vire ! » Il prend son sac, les embrasse et s'en va. Conscient soudain d'avoir été trop brutal, d'avoir livré ça d'un seul coup, sans préliminaires, ce secret qu'il a gardé enfoui toute sa vie, depuis l'adolescence… il s'arrête et se demande pourquoi tout va si vite maintenant, il hésite devant la porte d'entrée.

Je ne le regarde plus. Je n'ose pas le questionner, où est maman ? Comme s'il avait lu dans mes pensées, il ajoute d'une voix à peine audible : « On s'est engueulés, mais votre mère va bientôt rentrer… » Je tiens encore à la main les deux dessins préparés à l'école pour la fête des Pères. C'est ridicule, le moment si mal choisi, mais je les lui tends avant qu'il ne s'en aille. Quand pourrons-nous le revoir ? Il dit qu'il ne sait pas, prend les dessins, ému, et part.

La porte d'entrée claque derrière lui, définitive. Soudain, toute l'histoire défile à nouveau dans ma tête… Je songe à l'embarras de mon père devant cette porte quelques mois auparavant, m'expliquant qu'il avait raccompagné un ami à l'aéroport. Je me souviens des copains qu'il invitait les week-ends, de la sensation vague de ne pas tous les aimer. Je revois mon père changer, se transformer en homme blond et musclé, ressembler aux affiches de la salle de bains, prenant des protéines pour que ses muscles se dessinent davantage, et surtout, je repense à la peinture sur la porte d'entrée.

Il avait commandé à un ami de peindre la porte côté palier. C'était une peinture bleue hyperréaliste, deux hommes nus qui couraient au milieu d'une plage envahie par des blocs de pierre, des monolithes gris enfoncés dans le sable et la poussière. Évidemment, tout l'immeuble s'était plaint, on ne pouvait pas faire n'importe quoi dans les parties communes ! La peinture n'a survécu que l'espace d'une ou deux semaines. Pourquoi n'avions-nous pas compris, à cet instant, ni voulu voir ce qui était là, sous nos yeux, dessiné sur la porte d'entrée : deux hommes nus qui partent ensemble en courant, qui s'enfuient loin des ruines, comme à la fin d'un film de Chaplin… Depuis quand ma mère savait-elle ? Est-ce qu'elle avait deviné depuis toujours, ou avait-il fallu qu'il laisse toutes sortes de messages, de plus en plus explicites, pour que son regard se décille enfin ? Avait-elle vu ces exemplaires de *Gai Pied* à peine cachés sous son lit ? Pourquoi être restée aveugle si longtemps ? Il suffisait de parcourir les étagères pour comprendre, ces mickeys, ces boules… C'était d'une telle évidence, comique quand on y pense. Pourtant, notre surprise en était bien une.

Me revient cette question que je lui posais fébrilement, à six ans : « Papa, tu préfères mes frères parce que ce sont des garçons ? »

147

Dans ce cas, je ne porterai plus que des kilts… Je resterai ta fille mais avec ces jupes dont les garçons s'habillent parfois.

Le temps s'applique-t-il à adoucir les changements, même ceux qui semblent les plus définitifs, jusqu'à les rendre insensibles ? La mue avait été lente, elle avait duré des siècles, mais la famille entière en avait été témoin, l'avait même partagée comme un accouchement lent et douloureux…

Il avait grandi dans un milieu si modeste que seules la bonne conduite et la probité comptaient, après la guerre et les années qui suivirent, elles représentaient des richesses accessibles. Sa mère l'amenait chaque semaine à la messe avec son frère jumeau, enfants de chœur tous les deux, ils aidaient le prêtre pendant la cérémonie, secouaient la cloche, apportaient l'hostie, le vin, n'oubliaient pas de disposer les fleurs autour de l'autel avant l'arrivée des fidèles, ni de distribuer les livrets. Ils tendaient discrètement la corbeille juste avant la communion, pensaient à chanter en écho aux prières du prêtre, parfois même en latin, à embrasser l'étole de l'officiant, à lui préparer son habit, le lui ôter… tous les dimanches. Les autres jours, il allait chez les Frères des Écoles chrétiennes apprendre gratuitement le calcul, l'histoire, la géographie, mais aussi le silence et la gravité. Comment imaginer, ensuite, dans les années soixante, avoir une sexualité différente sans être rongé par la culpabilité ? Même ses élans hétérosexuels étaient réprimés. À treize ans, avec son argent de poche patiemment économisé, il s'était acheté une revue de nus de Modigliani. Il la parcourait, émerveillé, quand sa mère, rentrée plus tôt à la maison, le surprit, ému et troublé, en train de contempler ces images. Pour sa plus grande honte, elle l'obligea à rendre la fameuse revue d'art au kiosque pour la remplacer par n'importe quelle BD, *Cœurs Vaillants*, *Jo et Zette*.

Plus tard, lors d'un dîner au restaurant, c'est ce qu'il leur raconta, pour justifier ses préférences sexuelles. Tous les vendredis soir, ils se retrouvaient, tous les quatre, dans une brasserie en attendant qu'il se soit réinstallé.

Les repas étaient longs, chacun restait silencieux, la tête dans son assiette. Fragile, inquiet, encore en colère, il attendait d'eux qu'ils l'aident, qu'ils parlent et allègent la situation. Ils en étaient incapables. Paralysés, ils tentaient de redécouvrir leur père, cet homme qu'ils n'avaient pas su voir.

Il repartait triste et déçu, pensant que ses enfants s'éloignaient.

À la maison, son ex-femme souffrait des pressions qu'il lui infligeait. Il ne voulait pas d'un tribunal, ce n'était pas un criminel, il ne divorcerait pas s'il fallait qu'il passe devant un juge. Il l'accusait de vouloir garder les enfants pour elle et d'avoir rendu tout le monde malheureux. Elle dansait avec un ballon, tournoyait dans le salon, s'absentait toujours plus. Il était « devenu » homosexuel, pour elle ça ne faisait aucun doute. Il l'était devenu à force d'en côtoyer, en travaillant chez Cardin ! Elle l'avait vu se transformer, mais n'avait pas voulu y croire.

Peut-on « devenir » homosexuel ?

Est-ce une chose qui vous tombe dessus, qui s'attrape, comme l'a toujours imaginé ma mère ?

Peut-on s'en prémunir, « guérir », puis revenir en arrière ? Ou bien cela fait-il partie de votre code génétique comme être blond ou brun, avoir les yeux marron, être homo… et le refouler, l'enfouir à cause d'une éducation homophobe, de confessions régulières à un prêtre qui réclame qu'on se ressaisisse, qu'on se fasse violence, répète encore et toujours que c'est une maladie – elle ne sera définitivement retirée de la liste des maladies mentales de l'OMS qu'en 1991.

Fut-il surpris de découvrir à l'adolescence son désir pour les garçons ? Réalisa-t-il très vite combien cela l'isolerait ? Avait-il le projet de faire comme tout le monde, était-il perméable aux discours culpabilisants, inquiet face à ces lois qui venaient de désigner l'homosexualité comme « un fléau social », et trouva-t-il lui-même honteux d'être « différent » ? Est-ce ce qui l'amena à « dompter » ses inclinations, à se marier, à avoir trois enfants ? Était-il conscient de ce qu'il s'imposait, ou se laissait-il glisser comme un bouchon sur l'eau, imaginant qu'il pourrait tenir comme ça, et advienne que pourra ?

Ou voulait-il plutôt vivre toutes les vies, ne renoncer à rien ? Fonder une famille, avoir des enfants, être homo, bi, vivre avec une femme, vivre avec des hommes, ne plus se cacher, peut-être était-ce ce qu'il visait, sa liberté, sa liberté tout entière…

Ce jour-là

Quand elle se réveille au milieu de la nuit, la place à son côté est vide. Elle les a laissés peindre dans l'atelier, mais il est vraiment très tard, se dit-elle, agacée, fatiguée d'attendre. À moins qu'il ne se soit endormi dans le canapé du salon pour ne pas la réveiller. Elle en a assez de ces soirées interminables, avec J., ou un autre…

Elle décide d'aller le chercher, de toute façon maintenant elle ne parviendra pas à se rendormir. Elle se lève, traverse la chambre, longe le couloir sans faire de bruit, les chambres des enfants sont ouvertes, il faut toujours laisser leurs portes entre-bâillées avec un peu de lumière pour qu'ils dorment tranquillement et qu'ils ne paniquent pas si un cauchemar les réveille. Il n'y a personne dans le salon, il fait complètement noir, à l'exception d'un fin rayon de lumière qui brille sous la porte de l'atelier. Elle traverse la pièce à tâtons, sa jambe heurte le canapé rouge. Mais la ligne blanche qui se dessine sur le sol, tout au fond, l'aide à se repérer dans l'obscurité. Elle ne les entend pas, ils ont beaucoup bu au dîner, peut-être se sont-ils endormis ? La musique couvre les bruits, sauf celui des dernières voitures qui errent encore dans Paris, elle continue de tourner sur la platine, c'est le disque que les enfants écoutent si souvent, Peter Baumann, *This day*, heureusement qu'il a un peu baissé le son tout à l'heure, comme elle le lui avait demandé. Le voisin du dessous ne cesse de se plaindre auprès du syndic et à la concierge. Elle doit ensuite parlementer avec elle, pour ne pas être inquiétée par les propriétaires. Les mains en avant, comme une aveugle, elle se retrouve devant la porte, cherche un instant la poignée qu'elle tourne doucement, et elle les voit, lui et son ami, nus, collés l'un à l'autre, en train de faire l'amour.

Depuis qu'il est parti, les jours passent lentement. Il a quitté l'appartement comme s'il s'enfuyait.

Elle est assise à la table de la cuisine, une tasse vide attend, posée devant elle. Elle ne fixe rien en particulier, mais ses yeux restent accrochés à un point imaginaire. « Maman, tu me regardes comme un fantôme », lui a dit sa fille ce matin, en souriant. Elle repense à ce sourire et se demande pourquoi les enfants se donnent toujours tant de mal. « *C'est sur tes genoux que c'est le plus doux.* » Cette chanson d'enfance la renvoie à une autre, celle de la bouilloire qui chante, peut-être depuis longtemps. Qui crie plutôt. Elle se lève, verse l'eau qui fume dans sa tasse. Elle en met toujours à côté, parce qu'elle se précipite. Son mari le lui répétait souvent : tu es maladroite parce que tu veux trop bien faire, tu te précipites.

Le sachet de thé est difficile à ouvrir, le plastique n'a pas d'entaille. Ou bien c'est elle qui ne la trouve pas... Elle le jette, en prend un autre. Elle s'acharne un moment sur le petit carré transparent qui glisse entre ses doigts. Je ne vais quand même pas jeter toute la boîte, s'insurge-t-elle en cherchant une paire de ciseaux. Elle fouille dans le tiroir du haut, vide le tiroir du bas, qui se déverse entièrement sur le carrelage dans une pluie métallique. Elle va voir dans la chambre des enfants, ils sont encore à l'école. Elle leur en veut de ne jamais remettre les choses en place.

Elle se félicite de leur absence, ces derniers temps elle a de plus en plus de mal à se contrôler. Elle s'énerve pour un rien, et regrette ensuite sa colère des semaines entières.

À quoi bon fouiller, on trouve tout ici, sauf ce qu'on cherche. Elle se laisse tomber sur un lit. Quand il n'y a personne, c'est l'endroit de la maison qu'elle préfère, elle vient s'y blottir, enfin en sécurité, et laisse le temps poursuivre ses aventures sans elle.

Le mur d'en face lui raconte si bien une autre histoire. Celle de vieux dessins déchirés, d'un palimpseste d'affiches qu'on a collées, puis remplacées par de plus récentes, d'un bout de papier peint avec des animaux de toutes les couleurs, sauvé d'une nouvelle mue, de gribouillages, de traces de doigts sur la peinture blanc cassé... Il faudrait rafraîchir cette pièce, mais alors, on ne retrouverait plus ces preuves du passé... Elle aime s'allonger pour regarder ces traces, une par une, comme on laisse défiler un film de vacances en super-huit. Si ces visions sont ennuyeuses pour les autres ou suscitent au mieux l'indifférence, pour elle ces images ont la beauté des plus beaux ciels et des plus beaux paysages.

Elle s'arrête toujours devant les murs éventrés des maisons en démolition pour reconstituer la cuisine avec les marques des placards et de l'évier, chercher les chambres aux papiers peints déchirés où se devine la place d'un lit, d'une commode ou d'un bureau grâce aux lignes poussiéreuses, plus sombres, qui trahissent encore l'existence des meubles fantômes, puis repérer la salle de bains où luisent des morceaux de carrelages bleus ou blancs, parfois même un lavabo accroché à des tuyaux qui ne fuiront plus.

Elle se relève, sort de la chambre des enfants avec l'impression de vivre dans une maison de poupées dont les pièces seraient toutes des petites cases bien différenciées. Une main imaginaire la déplace vers une autre case, puis la renvoie dans la cuisine, bredouille, sans la paire de ciseaux qu'elle cherchait. Elle finit par se rasseoir et boire l'eau chaude, sans thé. Elle se brûle. Un drôle de relief se forme, une petite peau commence à peler dans sa bouche.

C'est lui qui ouvrait les sachets inouvrables, les pots de confiture, les paquets trop bien ficelés. Elle pense aux milliers de petites choses qu'il lui revenait de faire, dans cette distribution des rôles établis entre eux, sans réfléchir, au fil des années. Il y a des gestes qu'elle a fini par perdre. Il va falloir tout réapprendre.

« C'est sur tes genoux que c'est le plus doux
Prends-moi dans tes bras, encore une fois. »
La berceuse trotte dans sa tête.

Elle essaie de détacher avec sa langue la peau brûlée de son palais, imaginant que c'est son corps entier qui s'effiloche.

Les cloches de l'église, sur la place, cognent avec insistance qu'il faut continuer, rappellent qu'à chaque coup, chaque heure qui sonne, correspond une tâche et puis une autre. Les enfants vont rentrer. Il faut que j'aille faire les courses, il n'y a rien pour le dîner, se souvient-elle soudain. Elle se lève, enfile son manteau, alors que son double reste figé devant sa tasse, les yeux embués d'avoir trop longtemps cherché un point solide dans l'espace.

Vieille petite fille

Il n'en finissait pas de la blesser, peut-être était-ce une étape nécessaire pour se détacher d'elle. J'étais la messagère entre eux, et j'entendais tout ce qui n'aurait jamais dû sortir de leur chambre, de leur porte fermée à clé, au fond du couloir.

J'écoutais, flattée, j'avais enfin un rôle à tenir.

J'en ai tellement entendu, que les mots et les images se sont gravés en moi. J'ai vieilli d'un seul coup et suis redevenue en même temps une petite fille, celle qui réclame sa part, sa part légitime : qu'on s'occupe d'elle comme on devrait s'occuper d'un enfant. À force de réclamer un dû qui ne viendrait jamais, la vieille dame et la petite fille se sont mêlées l'une à l'autre pour grandir, jusqu'à ce qu'on ne puisse plus les distinguer.

Certains arbres parasites s'arrangent ainsi pour en coloniser d'autres. Même s'ils ont l'air de faire bon ménage, il devient vite impossible de les détacher du tronc et des branches. Dans cet enchevêtrement compliqué, on croirait qu'ils ne font qu'un, qu'ils ont poussé ensemble ou qu'ils s'épousent et danseront encore des centaines d'années, collés pour un tango. Cette union parfaite nous ravit, mais l'arbre-hôte finit par tout perdre, étouffé. L'intrus a pris toute la sève.

Je les avais observés, ces arbres. Quand l'envie de disparaître me conduisait dans la forêt. Devant le château de ma mère, il n'y avait qu'une grande prairie à traverser, au bout d'un chemin de terre la forêt nous attendait.

Je rentrais dans l'adolescence et je ne savais pas comment attirer l'attention des adultes. Je pensais qu'il suffisait de me cacher derrière les arbres, même s'il faisait froid, qu'il pleuvait, cela valait la peine de les inquiéter un peu. Je ne m'aventurais jamais très loin, il fallait pouvoir entendre les voix qui ne manqueraient pas de m'appeler, de me chercher. Assise sur un tronc humide, j'attendais. Je les attendais.

J'attendais longtemps. Le soir tombait, les bruits de la forêt m'inquiétaient. J'avais faim. Mes vêtements étaient trempés, mes cheveux dégoulinaient, le bout de mes doigts rouges était gelé, je ne sentais plus mes pieds. Alors je finissais par rentrer me sécher, malgré mes bonnes résolutions. Je voulais que mes « fugues » portent à conséquences et voilà qu'il ne s'était rien passé, j'avais simplement attendu des heures, sur un tronc mouillé. Je rentrais, déçue : la grande battue n'avait pas eu lieu ! Personne pour venir à ma recherche. Mon supplice n'avait servi à rien.

C'était ma faute, j'aurais dû m'enfoncer profondément dans la forêt, m'égarer pour de bon. Mais alors je n'aurais pas eu le plaisir de les voir courir vers moi, paniqués, cherchant à constituer des groupes, prêts à y passer la nuit entière, à examiner chaque fourré, une lampe-torche à la main, le cœur battant et plein d'espoir à l'idée de me retrouver… Le véritable enjeu de toute l'histoire !

J'aurai tout de même appris à observer les arbres.

I've been lonely before

Les enfants dînent une fois par semaine avec leur
père au drugstore ou dans une crêperie de la rue
Saint-André-des-Arts, mais le plus souvent, ils se
retrouvent au premier étage de la brasserie L'Escu-
rial. Ils se parlent peu, regardent les voitures et les
bus passer en bas, se croiser boulevard Raspail. Un
soir, il leur dit qu'il en a marre du restaurant et les
invite chez lui, dans sa nouvelle maison.

Ils y rencontrent Paul, un homme plus jeune, avec
des cheveux mi-longs bouclés de footballeur, un sourire immense et une énergie communicative.

Ils se voient le dimanche, dorment chez Paul et
leur père un samedi sur deux. Ils vont souvent courir ensemble au parc, et pique-niquer dans l'herbe.
Parfois ils louent une barque quand il fait beau. C'est
toujours Paul qui rame, debout au milieu de leur
frêle embarcation, il les fait rire, au risque de basculer
dans l'eau glacée du lac.

Les jours de pluie, ils se retrouvent au cinéma.

Et quand arrivent les vacances, ils partent faire de
longues marches dans la montagne, loin des hommes,
loin de tout, ils grimpent parfois jusqu'à la grotte de

l'Ours, même si personne n'a plus vu d'ours dedans, ni dans la région, depuis des dizaines d'années, peut-être même depuis des siècles.

Après un été de réflexion, l'aîné décide de vivre avec eux, et je reste dans l'appartement rouge avec mon petit frère, même si, comme lui, je préférerais être ailleurs… J'aimerais ne plus voir ma mère danser tristement dans le salon, je rêve d'habiter une zone neutre, de ne plus prendre parti, de tourner la page de leur séparation douloureuse. Mon père me propose d'emménager dans l'appartement qu'il a occupé durant la période où nous nous retrouvions au restaurant, tentant d'entretenir dans un lieu anonyme un ersatz de vie de famille. Je m'installe rue du Mail, dans le 2e arrondissement, un quartier de bureaux près des Halles. C'est mon premier appartement, le premier d'une très longue liste. Quand je prononce le nom de la rue, j'ai immédiatement dans la tête cette publicité idiote pour une marque de moutarde : « Il n'y a que Maille qui m'aille ! » Pourtant, rien ne m'a convenu rue du Mail, je ne me souviens que de ma peur. Tout m'effrayait, même un incident aussi inoffensif que cet oiseau égaré dans ma chambre, ne trouvant plus le chemin de la fenêtre ouverte. Il se cognait partout, j'étais incapable de l'aider, nous avons passé la nuit à nous observer en tremblant, et au petit matin, il s'est enfin envolé.

Mon père a acheté le mobilier nécessaire chez Ikea : un canapé deux places en fer blanc, un cube qui sert de table basse sur lequel je mange, un matelas au sol dans la chambre, et dans l'entrée une planche avec des tréteaux en guise de bureau. La cuisine minuscule ne peut contenir qu'un petit réfrigérateur et un four à micro-ondes. De toute façon, je ne mange que des plats surgelés. Je paie ma nourriture, mes fournitures scolaires, mes habits, mes tickets de métro grâce à des photos pour des magazines ado, *Jeune et Jolie, OK, Podium* que je fais deux fois par mois. Mon père paie le loyer.

À peu près installée, j'invite mes amis à fêter mon anniversaire dans mon nouvel appartement. Impressionnés, sans être envieux, imaginant ma solitude le soir, au retour du collège, ils m'ont apporté des cadeaux appropriés, des cadeaux d'adultes, des sels Guerlain pour le bain, un bracelet, des fleurs, du champagne... Tout le monde a cassé sa tirelire pour être à la hauteur. Le gâteau est énorme et laisse largement la place d'y loger mes quinze bougies.

Ils essaient de se montrer enthousiastes mais personne ne réussit à rester naturel, à rire, à parler avec la même spontanéité qu'à l'école. J'allume plusieurs cigarettes d'affilée. Je m'oblige à ne pas dépasser un paquet et demi par jour de Peter Stuyvesant ou de Gauloises bleues, avec lesquelles mon frère m'a appris à fumer deux ans plus tôt. Je l'avais vu avaler la fumée en déglutissant, un peu comme s'il la mangeait, et j'ai continué comme ça des années, m'appliquant à ne rejeter qu'un minimum de fumée, avant de reprendre ma respiration.

Le champagne est tiède, mais ça n'a pas d'importance, personne n'est vraiment habitué à boire. La conversation s'essouffle, je ne parviens pas à la relancer. Je m'en veux, si je ne suis pas capable de garder mes amis plus longtemps, je ne pourrai m'en prendre qu'à moi-même...

Je ris, j'invente des histoires, mais je sens bien que c'est inutile, malgré tous mes efforts, ils m'échappent déjà. Les invités s'en vont, trop tôt à mon goût. C'est toujours trop tôt. « J'ai pas fini mes devoirs, tu comprends, mes parents vont me tuer si j'arrive en retard pour le dîner, tu as de la chance toi, tu es tranquille maintenant... » Je m'accroche désespérément à mon petit copain, espérant grappiller encore quelques minutes. « On pourrait refaire l'amour, on l'a fait qu'une fois tout à l'heure avant qu'ils arrivent, t'as pas envie toi... ? » Je dirais n'importe quoi pour ne pas me retrouver seule, pour ne pas entendre la porte claquer et se refermer sur moi.

« Pour moi, faire l'amour représente une douleur insupportable et pourtant je la supporte, parce que ça vaut la peine, rien que pour ne pas être seule pendant quelques minutes... », avoue une femme paumée dans une pièce de Tennessee Williams. Je lui ressemble, je suis toujours d'accord. Même si je n'éprouve aucun désir, si l'autre en a envie, la question est réglée.

La première fois que je suis entrée dans l'appartement, j'étais pourtant fière de penser à celle que j'étais devenue, celle qui allait habiter ce lieu et vivre sa vie, qui en était capable. Mais sans me l'avouer, je commençais déjà à avoir peur.

Mon père m'avait confié la clé : « À toi d'ouvrir. Bienvenue chez toi ! » Son amie Alice avait eu un geste si joli et délicat. Elle avait disposé un gros ruban rouge juste derrière la porte, puis dans un grand sourire elle m'avait tendu une énorme paire de ciseaux. L'autre main, dans son dos, cachait une bouteille de champagne. J'étais touchée de tous ses efforts pour rendre ce moment festif. Elle avait voulu organiser cette petite cérémonie, une véritable pendaison de crémaillère pour mon père, elle et moi.

Je ne connaissais Alice que depuis quelques semaines. Mon père nous l'avait présentée lors d'un week-end et nous avait expliqué, légèrement embarrassé, qu'elle partagerait maintenant leur vie avec Paul.

Les enfants s'étaient-ils habitués à ne jamais être dans la norme, ou juste endormis dans leur adolescence ? Ou bien Alice les rassura-t-elle tout de suite avec sa douceur ? Cette drôle de configuration familiale ne les étonna pas outre mesure.

Parfois leur trio battait de l'aile, et je devenais une sorte d'alliée. Alice n'avait que quelques années de plus que moi. Nous allions ensemble à la piscine, au cinéma… Mon rêve se réalisait, j'aurais donné tout ce que je possédais pour avoir une sœur.

L'été, toute la famille partait en vacances au bord de la mer. Il y avait toujours une petite chorégraphie bien rodée à la réception pour brouiller les pistes, un jeu compliqué avec les clés, qui se prolongeait dans les couloirs, puis chacun regagnait sa chambre. Le réceptionniste et probablement certains clients de l'hôtel n'auraient pas apprécié qu'une chambre soit louée à trois adultes amoureux, trois adultes s'occupant dans la journée de trois enfants, qui étaient là pour leurs grandes vacances et dormaient dans deux chambres mitoyennes, les frères dans l'une, et moi dans l'autre, toute seule.

Un stage de planche à voile, les crêpes, lire des heures sur la plage, traverser la baie pour visiter les îles en face, des vacances presque normales. De retour au lycée, chacun racontait son été, il n'était pas difficile de rentrer dans une banalité rassurante en passant simplement sous silence les singularités du tableau.

Mais leurs disputes prenaient de plus en plus de place, et les heures de discussions pour en venir à bout n'y suffisaient plus. J'aurais tant aimé que les choses s'apaisent enfin, que nous puissions continuer à vivre ainsi, et que notre famille retrouve un peu de stabilité, même celle-ci, même complexe, dérangeante sans doute pour certains, peu importe, je voulais qu'ils « gardent » Alice. Grâce à sa présence féminine, j'avais enfin une amie.

Le soir, seule dans mon appartement, je sentais monter l'angoisse de la nuit, de ses bruits qui m'obsédaient. L'immeuble se vidait presque entièrement. Excepté deux autres locataires à l'étage au-dessus que je ne croisais jamais, il n'y avait que des bureaux. Un immeuble fantôme, car il me semblait entendre des pas, des voix monter dans l'escalier, des cris dans la cour… Lorsque la rue devenait enfin silencieuse, je m'endormais en écoutant mon cœur battre, je m'endormais dans la peur. Plus tard, aussi étrange que cela puisse paraître, cette peur me manquerait. Elle avait fini par m'être aussi indispensable pour trouver mon sommeil qu'une peluche pour les enfants, ma terreur comme objet transitionnel, qui pourrait imaginer ça ? Souvent je me levais et allais vérifier que personne n'était tapi derrière la porte, en train de forcer la serrure. Je savais qu'il aurait fallu un hasard incroyable pour qu'effectivement un intrus soit là, à cet instant précis, faisant exactement ce que je redoutais. Cette pensée magique me protégeait et m'épuisait car elle exigeait des réveils de plus en plus fréquents. J'étais devenue la sentinelle de ma propre vie, je montais la garde dans l'entrée, je faisais des rondes, vérifiais constamment que la porte était bien verrouillée, comme s'il était possible qu'elle se déverrouille pendant mon sommeil et s'ouvre entre deux patrouilles. C'était le prix à payer d'une émancipation hâtive à laquelle je n'étais pas préparée, j'avais quinze ans à peine et toute l'insécurité affective qu'on peut imaginer.

Ces angoisses nocturnes devinrent une sorte de compagnie, elles comblaient l'absence et le vide, un moyen comme un autre pour ne pas me sentir abandonnée. J'avais en réalité un besoin vital d'un ami derrière cette porte, au point que je m'en levais la nuit. Était-ce un besoin si désespéré, si honteux et inavouable qu'il me fallait le transformer en ennemi, et en faire un cauchemar ?

Je pensais aux adolescents qui rentrent chez eux le soir, et glissent leurs pieds sous la table. Ceux-là ne connaissent pas leur chance. Même s'ils font la gueule, qu'on leur remonte les bretelles parce qu'ils ont mal travaillé ce trimestre, qu'ils sont arrivés en retard pour dîner, n'ont pas rangé leur chambre ou oublié de débarrasser, ils savent qu'ils pourront se coucher dans leur petit lit à une place, lâcher prise entièrement, et plonger dans un profond sommeil. Car dans l'appartement quelqu'un veille sur eux.

J'avais bien conscience que mon imagination s'était considérablement développée, au point qu'il valait mieux ne pas en parler, et surtout pas à mes camarades de collège. Ils vivaient sur une autre planète, dans l'insouciance des bandes de copains, passant leur temps à commenter des histoires qu'ils compliquaient à plaisir, auxquelles je ne parvenais pas à m'intéresser. Certains devaient probablement, comme moi, cacher leurs peines… J'étais ailleurs, employée à être le gardien de moi-même. Cela prenait tout mon temps, je ne faisais plus le ménage, les cafards envahissaient la cuisine, les assiettes traînaient un peu partout, les cendriers restaient pleins et mes vêtements s'empilaient par terre, à côté de paquets de Kellogg's et de boîtes de maïs vides.

Tous les soirs, après avoir tourné la clé dans la serrure, refermer la porte derrière moi s'apparentait à un supplice. Mais cela valait toujours mieux que de voir sombrer ma mère.

Mon départ l'avait encore fragilisée ; déjà meurtrie, blessée dans sa féminité, ses capacités de discernement, sa confiance en elle, voilà que sa fille la quittait à son tour, si jeune. Paradoxalement, ce fut son réveil. Elle se remit peu à peu, et chercha sa nouvelle place. Au début, elle avait rejeté les invitations à déjeuner de son ancien mari, puis elle les accepta. Elle était un peu empruntée, tout ça paraissait bizarre, mais fonctionnait tant bien que mal, chacun y mettait du sien, faisait les efforts nécessaires. Il était si heureux d'avoir tout le monde autour de lui…

Il fallut encore du temps à ma mère pour s'apercevoir que quelque chose clochait, et encore plus pour refaire sa propre vie.

Lorsqu'elle y parvint, qu'une sorte de miracle se produisit, un retournement du destin auquel personne ne croyait plus, elle continua de m'intriguer par son étrangeté, et son mépris du réel.

À l'image de ce jour où je lui offris un chapeau pour son anniversaire. Elle me remercia chaleureusement : « Ce sera parfait pour Agatha Link ! Oui, formidable, c'est tout à fait ça !

— Qui est Agatha Link, maman ?

— Ah tu ne sais pas, c'est mon nom d'artiste, quand je sculpte… J'ai eu cette révélation dans un rêve, ce rêve m'a dit : ton nom d'artiste c'est Agatha. Agatha Link. Alors maintenant je signe Agatha ! »

Après le départ de son dernier fils, elle s'était mise à sculpter de l'argile, qu'elle achetait et transportait elle-même du magasin jusqu'à son modeste deux-pièces de la rue de D. Elle tapissait sa moquette de plastique et laissait sécher ses sculptures, ne possédant pas de four pour les cuire. Elle sculptait surtout des femmes, seules ou accompagnées d'hommes et d'enfants, mais la plupart du temps sans bras. Parfois, elle mettait en scène un petit groupe, à la façon des *Causeuses* de Camille Claudel, dont elle admirait tant la technique, la maîtrise des proportions et la présence étincelante de chaque personnage, elle qui ne possédait aucune expérience, n'avait jamais

169

appris, jamais sculpté auparavant. C'était naïf et fragile. Devant cette petite fille en argile blanche signée Agatha L., se balançant sur les genoux d'un vieux monsieur, je la voyais enfant auprès de son grand-père, celui qui l'avait sauvée de la noyade en la rattrapant par les cheveux. Dans cette pièce si friable, cassée à deux reprises et qu'elle avait rafistolée, je pouvais sentir la relation pleine de complicité qui existait entre ma mère et ce vieil homme, la seule véritable qu'elle eut connue dans cette famille dont les femmes semblaient dénuées de tendresse. Des femmes sans bras.

Plus tard, approchant de la soixantaine, alors qu'elle venait tout juste de commencer à Londres une nouvelle vie, elle m'annonça qu'elle voulait se lancer dans la domotique. Elle insista pour me montrer la boutique où elle comptait s'installer sur un des boulevards les plus huppés du centre, non loin de chez Harrods. J'étais atterrée, je me demandais si c'était une sorte de test, une blague étrange. Elle n'avait aucune formation, cet endroit luxueux était inaccessible, elle ne gagnait qu'un maigre salaire de secrétaire et ne ferait jamais aucun héritage conséquent, il n'y avait pas de millionnaire dans la famille, uniquement des aristocrates désargentés essayant de survivre sans trop écorner leur statut… Elle ne jouait même pas au Loto ! Je me suis demandé si elle espérait que j'achète cet endroit. Mais même en m'endettant toute ma vie, je n'aurais pu devenir propriétaire d'un tel emplacement. L'affiche annonçait bien à vendre, pas à louer. J'étais perdue, nous étions devant cette boutique, il faisait nuit. Je ne savais quel argument lui opposer tellement cette histoire de boutique spécialisée dans la domotique paraissait absurde et n'avait aucune chance de devenir un jour réalité. Elle continuait de me décrire son projet avec enthousiasme. D'une voix blanche, j'opposai un : « Maman, tu n'as jamais étudié la domotique…

— Ça s'apprend ! Je suis certaine que c'est pas très compliqué, me répondit-elle, avec un enthousiasme intact.

— Tu es sûre que c'est une bonne idée ici, ce doit être vraiment hors de prix, des millions de livres ?

— Oh, ça, on verra, on trouvera… »

Elle semblait à présent contrariée que je n'adhère pas avec confiance à sa nouvelle trouvaille, et nous sommes rentrées, déçues l'une de l'autre. L'avenir brillant de progrès et de technologies modernes venait de fondre sous la pluie, de disparaître sous nos pas, dans les flaques d'eau luisantes d'un trottoir sale. Tandis que nous marchions en silence, j'observais à la dérobée son visage fermé, ses yeux tristes, et je croyais y lire que cette perte, ce gâchis étaient un peu ma faute.

Avait-t-elle toujours été cette femme égarée, la tête pleine de rêves ? Jusqu'à quel point y croyait-elle ? Sa propre histoire difficile, accidentée, l'avait-elle amenée au fil du temps à trouver refuge dans ces vies imaginaires ? Je ne peux pas répondre à cette question, je devrais pourtant, c'est ma mère ! Elle m'a toujours paru trop lointaine pour que je puisse éclaircir la véritable origine de ses affabulations, et encore moins comprendre ces mystérieux délires. Plus jeune, elle avait déjà eu des rêves de grandeur, des ambitions européennes, d'autres artistiques. Je crois qu'elle aurait surtout voulu être quelqu'un d'autre, quelqu'un dont la légitimité n'aurait fait aucun doute, auprès de qui personne n'aurait jamais eu le loisir d'exercer la moindre pression, qui aurait suscité l'admiration bien sûr, une femme libre, inatteignable, peut-être même puissante ? Oui, dans ses plus beaux rêves, je crois qu'elle aurait aimé posséder cette force, tandis que dans la réalité elle se voyait comme un être éternellement fragile, maladif. Il faut faire avec les ingrédients qui sont les nôtres, semblait-elle dire, jouant de cette fragilité et de toutes ses faiblesses, ajoutant de la petite fille à la petite fille, un sourire étrange au coin des lèvres.

Quand je repense à ce sourire, aujourd'hui encore, j'ai du mal à mesurer son degré d'inconscience…

Comment le lire ? Une simple expression qui lui échappe ou un jeu espiègle, provocant ? Qui cherche à dire quoi ? Comment réagir face à cette femme de soixante ans, qui continue parfois de faire l'enfant ?

Elle regarde ailleurs, ignorant mon embarras, avec sur le visage ce demi-sourire, et un curieux air de défi.

Ses cheveux sont devenus complètement blancs, depuis quelques années déjà, ses traits se sont creusés trop vite, et sa peau s'est abîmée, comme recouverte d'une fine couche de cendre ou de farine. Elle marche à petits pas, fatiguée, mais elle garde cet air d'enfant orgueilleux et solitaire qui sait malgré tout ce qu'il vaut.

Sans Alice

« Voudriez-vous me dire, s'il vous plaît, par où je dois m'en aller d'ici ?

— Cela dépend beaucoup de l'endroit où tu veux aller.

— Peu importe l'endroit…

— En ce cas, peu importe la route que tu prendras.

— … Pourvu que j'arrive quelque part, ajouta Alice en guise d'explication. »

Lewis CARROLL

Alice aimait rêver, comme ma mère. Et pour satisfaire son désir d'aventures, un jour elle disparut. Elle disparut vraiment, dans un grand voyage en Inde qu'elle avait souhaité entreprendre seule. Elle nous quittait pour trois mois avec pour seul bagage un sac qui me paraissait si maigre qu'elle allait manquer de tout, à l'autre bout du monde…

Rien ne se passa comme elle l'avait prévu. Partie pour voir, elle eut sans cesse le sentiment d'être empêchée, de ne pas pouvoir visiter ce pays librement. Elle avait imaginé remplir ses yeux de découvertes, mais c'était elle qu'on observait dans la rue, les trains, les bus, partout on la dévisageait, avec ses cheveux courts, teints en blond platine, habillée comme les groupes grunge qu'on entendait à la radio. « Tu supporterais d'être scrutée en permanence, surveillée par des centaines d'Indiens, dès que tu mets le nez dehors, et que tu t'éloignes des autres touristes ? Je voulais aller loin, bien plus loin… » C'est à peu près en ces termes qu'elle justifia sa déception, et l'immense détresse qui s'empara d'elle à son retour.

La dernière fois que je l'ai vue, elle somnolait dans une chambre d'hôpital à Nantes. Elle parlait peu, lentement, prenait du temps, beaucoup de temps, pour entendre comme pour répondre. Était-ce les cachets qu'on lui donnait, l'épuisement du voyage ou l'effet de la dépression, chaque chose exigeait d'elle un effort démesuré, même une simple conversation avec moi. Nous avions pourtant l'habitude de nous parler pendant des heures, sur la voix grave de Nick Cave. À ses côtés, on vivait en musique, Alice avait toujours un casque sur les oreilles. Et maintenant, le silence régnait autour d'elle, un silence pesant qui ne lui ressemblait pas.

Je l'avais vue transformer nos mélos en aventures surprenantes, dédramatiser toutes sortes de situations, drôles et tristes, comme dans un vieux Buster Keaton. J'aimais ses cheveux décolorés coupés en brosse et les grosses bagues en argent qu'elle portait à tous les doigts, elle avait l'air de sortir d'un film underground américain, de descendre du Mystery Train de Jarmush ou de s'échapper d'un motel jaune de *Sailor et Lula*. Elle maquillait sa bouche charnue en rouge vif, ce qui accentuait encore la pâleur de sa peau. Dans les cendriers, les cadavres ensanglantés des Marlboro se mêlaient aux Ganesh Beedies qu'elle achetait en paquets de dix à Barbès. Une beedie à la bouche, elle croquait dans son carnet à spirale tous les bâtiments d'architecture contemporaine à l'aide d'un crayon taillé au couteau. Elle rêvait de construire des musées, des universités, des endroits où les gens seraient heureux de vivre. Elle riait souvent, et son sourire découvrait des dents du bonheur. Je n'ai jamais osé l'interroger sur la petite cicatrice qui lui barrait le haut du front… Ses habits noirs me rappelaient cette réplique d'une pièce de Tchekhov que j'avais entendue au cours de théâtre : « Macha, pourquoi êtes-vous toujours habillée en noir ?

— Je porte le deuil de ma vie. »

Je continuerai longtemps d'imaginer Alice, seule dans cette chambre, sa tête posée sur plusieurs oreillers, essayant de se maintenir éveillée.

Je repense à ce trio, à elle, sacrifiée, pour qu'un reste d'amour dure, encore un peu, entre ces hommes qui avaient tant de mal à vivre sereinement le fait d'être ensemble.

« Qu'est-ce que tu leur dis, à tes amis du lycée, quand ils me voient ? Tu leur dis que je suis homo ?

— Mais oui, papa, je leur dis.

— Ah bon ?! Et alors ?

— Alors rien…

— Mais comment ils réagissent ? Ça les choque ?

— Non, pas du tout.

— C'est vrai ?

— Oui, je te promets. »

J'aurais aimé ajouter : Papa, si tu savais comme ils s'en foutent !

Mais il attendait qu'on le rassure. Même s'il n'y croyait pas tout à fait et préférait rester sur ses gardes.

Bizarrement, je ressens plus de gêne aujourd'hui.

Lorsque j'évoquais l'homosexualité de mon père avec mes amis adolescents, ils recevaient cette confidence comme une information parmi d'autres, ne faisaient aucun commentaire, et j'aimais cette simplicité. Était-ce lié à leur âge ? D'où vient mon hésitation à en parler désormais ? J'y fais rarement allusion, seulement quand une conversation m'y entraîne, et la réaction est presque toujours la même : une sorte d'étonnement qui se prolonge, ce n'est pas un véritable embarras, plutôt une surprise. Après un temps très court, ça flotte un peu, comme si mes interlocuteurs se demandaient que faire de cette confidence, comment l'utiliser. Ils ne sont pas gênés à proprement parler, je ne peux pas dire non plus qu'ils soient stupéfaits, mais quelque chose les a saisis. J'ai du mal à analyser de quoi il en retourne vraiment, ces gens ne sont ni réactionnaires ni homophobes, et pourtant leur silence m'interroge.

À mes yeux, il s'agit d'un simple qualificatif, aussi banal que de mentionner la couleur des cheveux d'une personne, dire qu'elle a la peau mate, joue du banjo, ou vient de s'y mettre…

Ce qui m'empêche parfois d'aborder le sujet, c'est l'instant qui suit, ce léger décalage.

Mais au début des années quatre-vingt-dix, je viens d'avoir vingt ans, et je vais à ma première « gay pride » organisée place de la Bastille, qui réunit plus de six mille personnes au son de « Pédés, lesbiennes, réveillez-vous ! ».

Je suis euphorique. Marcher au milieu de tous ces hommes, de toutes ces femmes qui revendiquent leur homosexualité et demandent que l'on pose sur eux un regard bienveillant, me touche infiniment, me donne du courage. Soudain je me sens moins seule, comme accueillie dans une très grande famille dont tous les membres se comprendraient et ne joueraient pas à être « l'autre » qu'ils auraient dû être, même s'ils ne lui ressemblaient pas.

Quand je raconte à mon père mon incroyable après-midi, heureuse de partager ma découverte et mon enthousiasme avec lui, il s'agace, rejette ce communautarisme dans lequel il ne se reconnaît pas, ne se sent proche ni du mouvement ni de ceux qui y participent, ne voit tout simplement pas de quoi on peut être si fier. Je ne comprends pas, il a toujours été solitaire mais je sens qu'il s'agit d'autre chose, qu'il y a des gens auxquels il ne veut pas qu'on l'associe. Les trans, les drag-queens ? Ou même tous ceux qu'il trouve trop efféminés ?

Il rencontre pourtant de plus en plus d'autres couples homosexuels, et tisse des liens d'amitié solide. Au mois d'août, tout le monde prend ses quartiers dans le sud de la France, en Provence, dans la grande ferme qu'il a achetée. La vallée est sauvage, perdue parmi les champs de lavande et les abricotiers. Il aime être entouré de Paul, des enfants et de tous ses amis. Je rêve parfois d'Alice. Je ne crois plus aux prières, mais j'imagine que les pensées peuvent les remplacer, si on les envoie nombreuses et régulières, et peut-être même, qui sait, redonner le goût de la vie à leur destinataire…

On marche de longues heures dans la montagne, on se baigne dans des gorges. B. tient la main de D., saute dans un trou d'eau plus profond, là où elle change de couleur, il se sèche au soleil. Il y a une tension sexuelle, des regards échangés, des sourires, des sous-entendus. Je suis la seule fille. J'ai l'impression d'être une étrangère. Parfois, je pense que je les embarrasse. Ils m'aiment bien pourtant. Se doutent-ils que c'est difficile d'être une jeune fille parmi tous ces hommes, une jeune fille en pleine puberté ? La seule ? Je voudrais être un homme, moi aussi, agile, beau ou au moins charismatique, attirer tous les regards sur moi en sautant comme B. dans l'eau bleu turquoise, profonde et mystérieuse des gorges.

La chute

« Qu'est-ce que tu t'es fait, papa ?

— Je suis tombé dans les escaliers.

— Comment tu as fait ça ?

— Je sais plus. »

Il le frappe. C'est la première fois, une dispute, ou est-ce plus fréquent ? Il est au volant, tendu, inquiet, ailleurs.

« Je crois que ça va mal finir.

— Quoi ?

— Il va se barrer.

— Mais non, papa, t'inquiète pas.

— Tu verras. »

Il a loué un chalet, dans les Pyrénées, tout près de la maison de S., l'ami peintre qui avait dessiné deux hommes nus sur la porte de notre palier.

Le chalet est minuscule mais il y a la montagne, qui s'incurve comme une caresse, l'herbe est douce, les étoiles innombrables, si proches, je n'en ai jamais vu d'aussi brillantes, elles scintillent sans faiblir dans le ciel, des milliers de broches précieuses piquées sur le manteau de la nuit. La nuit est une reine très riche, je ne me lasse pas de la regarder.

Mon père ne regarde pas le ciel, il reste dans sa chambre pendant toutes les vacances à pleurer Paul, impossible d'emmener les enfants faire du ski dans la station de sports d'hiver plus haut, là où la pluie se transforme en neige, impossible même de se lever. Il écrit des pages et des pages sur leur rupture, sur sa douleur, sa solitude.

« Je peux vous lire ? Je peux ?

— Si tu veux… »

Plusieurs jours d'affilée il pleut, et c'est comme si le temps s'accordait à son humeur, les enfermait tous derrière d'interminables rideaux de pluie. Ils sont prisonniers de sa tristesse et du mauvais temps. Autour d'eux, il n'y a rien d'autre que ces pentes douces et le bruit des cloches de moutons venus chercher de l'herbe fraîche. Si on veut atteindre le village, il faut marcher longtemps, sur une petite route qui descend en lacets, traverser plusieurs ponts, en regardant l'eau froide et claire qui se fraye un chemin entre les pierres. Mais il pleut des cordes, alors on reste à l'abri, près du feu. Il brûle du matin au soir, monte très haut dans la grande cheminée. Et pourtant, nous sommes transis jusqu'à l'os.

Comme chaque fois que j'ai besoin de retrouver un peu de chaleur, ou que je n'arrive pas à dormir, j'imagine que la Terre est un animal gigantesque, c'est facile dans cet endroit perdu, à l'abri, au creux de la vallée, autour de moi les montagnes vibrent, paraissent tellement plus vivantes que le bitume parisien, oui la Terre est un énorme animal dont l'herbe est la peau, son écorce douce, elle aime sentir les hommes bouger sur son dos, se coucher sur elle, et les entendre respirer. Je m'endors avec cette image d'une Terre-animal, d'une Terre-mère qui porte sur elle ses enfants. Je peux sentir sa tendresse. Le monde n'est pas vide, une présence invisible, souterraine, l'habite. Pour les plantes, les fleurs, je ne sais pas, mais les montagnes et les arbres au moins ne sont pas indifférents.

Quand la pluie cesse enfin, la porte s'ouvre dans un cri, et les enfants se laissent tomber du haut de la pente, le long de la colline, dans l'herbe tondue par les moutons, transformée en tapis immense et propre qui se déroule sous eux. Ils glissent, courent, reprennent leurs vies d'enfants, puis marchent plusieurs kilomètres pour acheter des bonbecs et reviennent en dévorant leur butin. Les guimauves, les bouteilles de coca pétillantes, les fraises, les boules roses fondent sous la langue, ils rentrent satisfaits et consolés. Nul besoin de remonte-pentes, de tire-fesses, de pistes rouges, bleues ou vertes, un ours en chocolat et un coquillage sucré à lécher suffisent pour être heureux.

Demain, ça ira mieux, demain est un autre jour, bientôt on rentre à Paris. Il faut dire au revoir au ciel étoilé comme un planétarium, et ne plus revenir.

Il cherche un autre homme. Il en rencontre beaucoup, mais ils ne restent pas. Un brun costaud, un blond timide, un avec une mèche, gentil, un peu efféminé. « Je suis amoureux tu sais. Je l'ai rencontré à la terrasse d'un café, il lisait Virginia Woolf, *La Traversée des apparences*, alors je l'ai abordé. »

Je souris avec tendresse de son penchant pour les intellos.

« Tu lui as parlé ?

— Oui, du livre, et ensuite on a fait connaissance… Je suis amoureux, mais c'est difficile, il n'a aucune confiance en lui. Avant il était avec un sale con qui lui écrasait des cigarettes sur les bras. »

Il essaie de tout son cœur, de toutes ses forces, mais on dirait que tout lui échappe et le fuit. Même ce beau brun ténébreux, qui lui laissait des poèmes sur la table à côté du petit déjeuner :

« Doutez que les étoiles soient de feu

Doutez que le soleil se meuve

Doutez de la vérité même

Mais ne doutez pas que je vous aime. »

Shakespeare ne les empêchera pas de se quitter quelques semaines plus tard. Il continue de lire et relire ces vers, auxquels il était si bon de croire, il range le poème dans sa poche et, pour se consoler, vit toutes sortes d'aventures, des histoires courtes, des rencontres d'un soir. Il connaît les lieux de rendez-vous, aux Tuileries du côté de la voie rapide, on n'attend pas longtemps, il suffit de s'asseoir sur un banc, et il y a toujours quelqu'un à draguer. Il essaie d'ignorer qu'après les États-Unis, la France entre à son tour dans ce qu'on appellera bientôt les années sida, même s'il devient vite impossible de se voiler la face. Un ami lui apprend qu'il est devenu séropositif, la maladie n'est pas déclarée, mais elle est là, prête à tuer.

On ne sait presque rien encore de ce virus que certains appellent déjà le cancer gay, il restera pourtant peu de temps réservé à une seule communauté, et finira par nous concerner nous, les adolescents. Nous devons changer toutes nos nouvelles habitudes, nous commencions à peine à nous sentir à l'aise avec notre sexualité balbutiante, à offrir notre confiance, il faudra maintenant « se protéger ». Des informations contradictoires circulent dans les journaux : par la salive, la sueur, le sang, le sexe, la bouche, dans les lavabos, la cuvette des toilettes… Le Pen propose de créer des « sidatoriums » pour empêcher que la contamination ne se propage. Les gays retournent à l'ombre et au silence, oublient leur coming-out, se soignent et meurent seuls. Je me souviens de ces dra-peaux français barrés d'une écriture noire : « Séro-positifs, la France vous préfère morts », qui resteront accrochés une semaine entière autour des statues de la place de la République. Je m'inquiète pour lui, depuis sa rupture, il cherche toujours de nouvelles relations. La distinction semble bien fragile entre ceux qui ont la maladie et ceux qui sont positifs, comme J., qui le restera toute sa vie, testant chaque médicament, les nouvelles molécules, de l'AZT à la trithérapie, les inhibiteurs de protéases, de fusion, les interleukines, et leurs effets secondaires, les nausées, les maux de tête, les mains et les pieds qui brûlent… Il a maigri, définitivement perdu le sommeil mais, comme un miraculé, il tient bon, traverse les étapes, une à une, sans pouvoir empêcher ses proches de disparaître.

J'ai peur pour mon père, lui aussi s'inquiète. Un jour, il m'apporte une énorme boîte de préservatifs à la vanille. Il y en a une centaine, peut-être le double !

« Mais papa, j'utiliserai jamais tout ça…

— On ne sait jamais, en tout cas tu les as ! »

J'apprécie qu'il pense à moi, mais je n'ai pas tous ces besoins. J'ai seize ans et, grâce à mon père, une provision de capotes pour les deux prochaines années !

Il me promet de se protéger, et puis il oublie. « J'ai fait une connerie, je crois que j'ai vraiment fait une connerie… » Il joue à la roulette russe, avec le désir destructeur de chercher une réponse mortifère à ses difficultés sentimentales, en piétinant ses chances et ses espoirs de trouver un homme avec lequel vivre la relation dont il rêve, parce qu'elle semble s'éloigner à mesure qu'il avance, comme un mirage, un désir inaccessible. Moi aussi je déconne, je n'utilise pas ses capotes à la vanille, et en allant un jour chercher les résultats de mon test VIH, je suis incapable de me souvenir de mon nom. Devant la secrétaire interloquée, qui attend mes références pour me transmettre le dossier, j'ai un blanc, une suée, je me sens profondément ridicule, mais ma date de naissance a également disparu de ma mémoire, je ne sais tout simplement plus comment je m'appelle... Cette maladie n'est pas un fantasme, la boule piquante fait la couverture de tous les magazines. Les relations sans capote sont promises à des heures d'angoisse qui ne s'apaisent qu'une fois l'enveloppe ouverte, et le résultat entre les mains. Mon père s'inscrit à Act Up, il participe à des soirées pour récolter des fonds, il trouve de l'argent pour aider la recherche et les malades. Il aimerait revenir en arrière, pouvoir faire l'amour sans crainte, tout va trop vite, c'est si court, les meilleurs moments s'espacent, toujours plus éphémères. Il voudrait rester ce jeune homme qu'il a été, continuer de séduire, et ne pas voir son corps se flétrir.

« *Si tu crois vraiment, fillette, fillette, qu'ça va, qu'ça va, qu'ça va durer toujours, ce que tu te goures, ce que tu te goures...* », chante-t-il avec une douce ironie.

Un jour, il passe à l'acte et, sans rien dire, il se fait retoucher le menton qu'il a toujours trouvé trop carré, et avant que ça ne devienne banal, pense au lifting. Je ne peux plus le regarder, son visage est devenu une énorme blessure. « Ça va passer, il faut que ça cicatrise... » Au bout de quelques jours, les yeux dégonflent, ne sont plus rouges et injectés de sang, mais deux cicatrices restent bien visibles dans son cou, près des oreilles.

Il ne les voit pas, se sent plus léger. Il est transformé, prêt à rencontrer l'homme de sa vie, jeune, brun, italien, celui qui pourra enfin partager ses jours et ses nuits.

C'est une évidence, sans doute inutile à préciser, mais le problème de mon père ne tenait pas à son orientation sexuelle. Le problème venait en grande partie d'une époque, d'une éducation, d'un milieu, et de désirs si bien verrouillés qu'ils étaient devenus des bombes prêtes à exploser à l'intérieur de lui-même. C'est peut-être à cet endroit précis qu'ils se retrouvaient avec ma mère, dans la compréhension immédiate, la complicité d'un vécu partagé : la même absence de liberté, et surtout d'intérêt de leur famille à l'égard de ce qu'ils étaient vraiment.

Je me suis souvent demandé d'où venait ce manque de curiosité. Certes, mon grand-père n'attachait aucune importance à ses états d'âme, encore moins à ses problèmes de santé, dédaignant en toute circonstance de s'écouter. Peut-être n'avait-il aucune sorte d'intérêt pour lui-même, peut-être considérait-il qu'il s'agissait d'une attention honteuse et superflue. Cet état d'esprit était partagé par beaucoup de gens de sa génération : refusant de s'appesantir sur eux-mêmes, ils passaient aussi à côté des autres, parfois même de leurs propres enfants.

Pourtant, le cœur ne se modifie-t-il pas nécessairement face à un fils, une fille, qui réclame un vrai regard, une attention ?

Non, le vent révolutionnaire, l'esprit contestataire de Mai 68 n'avait pas soufflé avec autant d'enthousiasme sur les uns comme sur les autres.

C'était un long voyage qui prenait parfois des années… Des années et des années pour comprendre, puis lutter contre, essayer ensuite de rattraper le temps perdu, des années à survivre, à se cacher, des années pour assumer, faire des demi-coming-out, puis des vrais, des années à attendre que tout s'apaise, et puisse se vivre enfin. Et devant soi, encore quelques années pour ne pas penser qu'il est bien tard, que les fausses pistes, toutes ces vies d'avant, ne valaient rien, n'avaient aucun sens.

Nos plus belles, nos plus belles et jeunes années.

Le café du musée

« Je l'ai retrouvé…

— Quoi ?

— J'ai retrouvé mon père. Mon père biologique, je l'ai retrouvé !

— Comment tu as fait ?

— Par Internet, j'ai seulement passé quelques coups de fil. Jamais j'aurais imaginé y arriver comme ça ! J'étais persuadé qu'il fallait engager un détective privé, faire de longues recherches, pour finir peut-être par ne rien trouver… Et dire que j'ai laissé passer tout ce temps ! Je n'avais que son nom et quelques détails, alors j'ai cherché sans y croire sur Internet, j'ai appelé tous les numéros, heureusement ça tenait en deux pages. Je suis tombé sur des gens qui ne comprenaient rien, qui me raccrochaient au nez. J'ai décidé de me rendre sur place, j'ai sonné à plusieurs adresses. Et puis j'ai parlé à la concierge d'un immeuble qui a bien voulu m'aider. Je lui ai expliqué que je cherchais mon père. J'ai raconté tout ce que je savais, ses études à Zurich, sa mère suédoise… La gardienne connaissait effectivement une Suédoise âgée qui avait habité là, au troisième étage, et portait son nom. À sa mort, elle avait laissé l'adresse de son fils pour faire suivre le courrier. J'ai pu lui écrire et demander à le rencontrer. Il vit à Londres.

— Tu l'as rencontré ?!

— Non, pas encore. Mais il m'a répondu tout de suite, plutôt sèchement, d'ailleurs. Il a dû croire que je voulais lui réclamer de l'argent, que j'allais le dépouiller. J'ai insisté : "J'aimerais te voir, te voir simplement. Rien de plus." On a rendez-vous la semaine prochaine.

— Tu vas à Londres ?

— Non, c'est lui qui vient.

— Il vient ?

— Oui, il veut voir une expo, sur Mondrian.

— Vous allez vous retrouver pour visiter une expo ?

— Je dois l'attendre à la cafétéria du musée.

— Comment vous allez vous reconnaître, vous avez décidé d'un truc ?

— Non.

— Si ça se trouve, vous vous ressemblez pas du tout. Vous allez peut-être passer à côté l'un de l'autre, tu as pensé à ça ?

— On verra. »

Oui, il y a pensé, il pense à lui depuis tant d'années. Ses parents ne lui ont rien caché, il sait depuis toujours que son père n'est pas son père, qu'il a été adopté à la naissance. Il connaît le nom de son père biologique, il sait qu'il est grand, que ses cheveux sont bouclés, et que sa mère l'a aimé. Alors, dans le métro, parfois, il se dit : et si ce monsieur en face de moi, en costume bleu, c'était lui ? Et dans la rue, en voyant un homme grand et brun qui pourrait avoir son âge, il se demande s'il ne vient pas de croiser son père. S'il devait faire le compte de tous les pères potentiels qu'il a cru reconnaître dans sa vie, il y en aurait bien un millier.

Comment se représenter qu'aujourd'hui le jeu est terminé, que dans quelques heures il va le voir ? Il a tellement désiré cette rencontre, il a regretté si souvent de ne pas avoir arrêté ces passants. Il s'en voulait des mois durant d'avoir peut-être laissé passer sa chance, dire qu'il suffisait d'aller sur Internet pour trouver la gentille concierge, et d'envoyer un mail…

Il a paru froid dans les mails qu'ils ont échangés. Et s'il n'avait plus envie de le voir, finalement, plus envie de retrouver son fils ? Il n'aurait pas proposé de venir lui-même à Paris pour le rencontrer. Vont-ils réussir à se parler ? Et s'ils ne trouvaient rien à se dire ? S'il était trop ému ? Si sa sœur avait raison, et qu'ils ne se reconnaissaient pas… ?

Il arrive très en avance, et tourne autour du musée avec l'impression que chaque homme pourrait être son père. Est-il en train de visiter tranquillement son exposition sur Mondrian pour le rejoindre ensuite au café, ou attend-il ce moment avec la même impatience, la même fébrilité que lui ? On ne rencontre pas son fils tous les jours, un fils qu'on n'a pas vu grandir.

A-t-il d'autres enfants ? Sera-t-il aussi beau que dans les yeux de sa mère, les rares fois où elle a parlé de lui ? Pourquoi l'a-t-il quittée s'ils s'aimaient autant ? Sans lui, ses parents seraient-ils restés ensemble ?

Les questions se bousculent dans sa tête. Comme dans ses rêves, sera-t-il le genre de père idéal, droit, solide, attentif ? Pourra-t-il se rendre disponible, peut-être pas tout à fait comme un père, mais une sorte d'ami, de confident, ou même un guide ?

Il rêve, c'est sûr qu'il rêve, que pourrait offrir ce type qui n'a jamais cherché à le voir, n'a rien entrepris pendant toutes ces années, quand lui grandissait si vite qu'il en avait mal aux genoux, et devait changer de chaussures deux fois par an ? Souhaitera-t-il que cette rencontre se reproduise, ont-ils un avenir ? Cette question-là, il ne veut pas se la poser, mais ses pensées ne lui obéissent plus et continuent leur course folle. Il s'assoit au milieu de la cafétéria, hésite à se mettre face à l'entrée. Il y a déjà deux hommes installés à des tables. Non. Celui-là est beaucoup trop vieux, et l'autre est avec une femme. Et puis il n'a rien ressenti quand il les a vus. Il doit forcément éprouver quelque chose, une émotion, un déclic, une sorte de décharge électrique… Il commande une bière.

Aujourd'hui, à trente-six ans, il va rencontrer son père.

Il transpire, ses mains sont moites. Doit-il l'embrasser ou lui tendre la main ? Il penche pour la première solution, c'est son père tout de même, mais c'est aussi un étranger. Il l'embrassera.

Il est en retard. Il s'est probablement défilé une fois de plus. C'est peut-être le genre de personne qui ne sait pas dire non, qui s'engage et se défile toujours.

Il lit la carte plusieurs fois, aucun mot ne s'imprime. Il voudrait descendre se rafraîchir aux toilettes, se passer un peu d'eau sur le visage, mais si son père arrivait juste à ce moment-là ? S'il le cherchait sans le trouver ? Il pourrait décider de repartir très vite pour ne pas subir l'affront d'une attente déçue. Il ne peut s'empêcher de penser que c'est sans doute le sort qui lui est réservé, dans une heure ou deux, il rentrera bredouille, quand donc cessera-t-il d'espérer ? S'il était soudain père lui-même d'un enfant adulte de bientôt quarante ans, ne prendrait-il pas ses jambes à son cou ?

Il sait qu'il n'existe pas dans la vie courante d'autres rencontres comparables à celle-ci, de retrouvailles qui condensent autant d'interrogations, de fantasmes et d'espoirs enfouis. À côté de sa bière, il y a maintenant deux cafés. Il était en avance, mais l'heure est largement passée. Il calcule qu'il attendra encore une demi-heure, même s'il n'y croit déjà plus… quand la porte s'ouvre enfin pour le faire apparaître. Cette fois c'est lui ! Évidemment, c'est lui, cet homme qu'il voit là, c'est son double. Ou plus exactement, lui en plus vieux, mais tout y est, le nez, la bouche, les sourcils, la démarche… Il ne manifeste d'ailleurs aucune hésitation, il se dirige vers sa table, l'embrasse et s'assied, avant de se relever aussitôt pour aller demander un café à la serveuse. Il le voit alors s'éloigner de dos et c'est son dos ! Il voit ce qu'on ne voit jamais, son propre dos.

Ils se parlent tout l'après-midi. Au début, la conversation tâtonne un peu, les mots se cherchent, et puis arrivent pour combler les silences. L'un et l'autre s'appliquent à ne pas laisser la stupéfaction l'emporter, s'efforcent de se conduire comme si la situation n'avait rien de miraculeux, une rencontre insolite, certes, une date un peu spéciale, qui, pour autant, ne sera pas marquée au fer rouge, comme un coup de foudre ou une naissance... Il est indispensable de ne pas oublier qu'il n'était justement pas là ce jour-là. Seulement ça déborde, quelque chose remue à l'intérieur, et fait place à un sentiment nouveau, rien à voir avec la tendresse, non, plutôt lié à cette expérience unique, cette incroyable faculté de se reconnaître chez l'autre à chaque instant. Ils ont la même façon d'hésiter pour trouver le mot juste, la même façon de se gratter le sourcil quand ils sont gênés, de se tenir bien droit, de se racler un peu la gorge avant de commencer une phrase... En écoutant son père, il retrouve jusqu'à sa propre voix, et pourtant, ce double reste un mystère. Un miroir semble s'être dressé entre eux, un miroir à deux inconnus.

Le père et le fils partagent le même enthousiasme face à ce prodige, et se quittent en se promettant d'autres rencontres. Ils s'attardent encore un peu, échangent les dernières phrases de circonstance, « bon retour, ton train est à quelle heure, j'espère qu'il n'aura pas de retard », d'un ton dégagé, concentrés à dissimuler leur émotion.

Il ne peut pas rentrer, prendre le métro. Il n'a pas envie non plus de raconter à quelqu'un ce qu'il vient de vivre. Que pourrait-il dire ? Ils ne se sont rien confié de saisissant, aucune révélation, aucun des sujets sensibles qu'il espérait aborder n'a été soulevé, leur conversation était plate, d'une surprenante banalité. Mais se tenir simplement assis devant lui et découvrir cette ressemblance était en soi une révélation ! Il décide de marcher, traverse la place de la Concorde et la Seine. Est-il heureux ? A-t-il l'impression d'avoir enfin résolu la grande question, la question la plus considérable de toute son existence ? D'où je viens, de quel esprit hériterai-je ? Il a tellement imaginé cet instant, il se souvient qu'à six ans déjà, il lui parlait dans son lit, le suppliait de venir, ou d'envoyer au moins une photo pour apaiser son imagination malade, sous le poids des questions sans réponse. Il se revoit, à quinze ans, dans le bus qui le ramenait de ses cours de guitare, persuadé que l'homme au chapeau qui avait prétendu jouer aussi d'un instrument quand il était plus jeune, c'était son père. Il s'était mordu les joues jusqu'au sang pour ne pas répondre : pardon monsieur, vous vous appelez comment, vous avez son âge, vous ne seriez pas mon père, par hasard ?

Il marche, et il sait à présent qu'il n'aura jamais de père, de vrai père, comme dans les films ou dans les romans, un père comme en ont certains de ses copains, cette image de père, car après tout il ne s'agit peut-être que de cela, d'une image... Oui, aujourd'hui, il en est sûr, un père comme celui qu'il a dans la tête, si parfaitement père, ça n'existe pas. Pour personne. Tous ses rêves de père ne sont que des chimères, des rêves de petites filles qui attendent le Prince Charmant, des rêves merveilleux dans lesquels il est réjouissant de s'égarer, mais si dangereux, car ils ne tiennent jamais leurs promesses.

Il ralentit, rassuré : son rêve ne le fera plus souffrir. Il possédera à présent la douceur d'un souvenir d'enfance, d'un vieux compagnon imaginaire. Un père comme un vieux rêve fou, teinté d'une agréable mélancolie.

Comme lui, j'ai souvent imaginé cette rencontre. Sans en parler, chacun avait inventé toutes sortes de retrouvailles. J'ai parfois rêvé d'un autre père, moi aussi, ou d'un beau-père, plus simplement. Quelqu'un à qui je pourrais me confier, demander des conseils, avec qui je pourrais rire de mes maladresses et de celles de ma mère, auprès de qui je pourrais me réfugier, me réchauffer quand tout va mal. J'arrêterais enfin d'errer des heures dans Paris, de rôder dans mes anciens quartiers, pour finir immanquablement par tourner autour de la rue de P. sachant qu'il n'y a plus de place, ici ou ailleurs, pour se poser. Je n'aurais plus la sensation épuisante d'être obligée de nager, nager sans cesse, nager tant qu'il n'y a pas de rivage en vue, mais seulement cette unique possibilité de continuer, sans s'arrêter. J'aurais un endroit où aller.

Quand il raconte à sa mère ces retrouvailles, elle sourit. Elle attendait cette rencontre avec tant d'impatience. Et puis mon frère lui annonce que l'homme du Kilimandjaro espère la revoir aussi, il l'a chargé de lui transmettre le message… Il voit son sourire se déchirer lentement. Elle serre ses mains l'une contre l'autre, enfonçant ses ongles dans leur peau ridée si sèche, une petite torture qui l'aide à ravaler ses larmes.

Pour quoi faire ? Elle est seule depuis si longtemps. Son mari a refait sa vie, il est heureux maintenant avec un autre homme, mais elle... Qui s'intéresse à elle ? Le passé lui revient comme une claque, elle revoit toutes ces années, les épreuves traversées, les échecs, la solitude... Qu'a-t-elle tiré de tout ça ? Même ses enfants se sont éloignés. Le revoir pour lui dire quoi ? À quel point sa vie aurait pu être différente ? Sa demande est inacceptable, injuste, et provoque en elle une colère semblable à celle qui l'avait amenée à déchirer sa lettre, presque quarante ans plus tôt. Son fils la fixe toujours, guettant la réponse qu'il devra envoyer par mail en rentrant chez lui. Il la regarde avec ses yeux si clairs, ce fils qui sait maintenant à quel point il ressemble à son père. Alors, pour ne pas le décevoir, elle demande à son pauvre cœur de s'accrocher encore un peu, opère un virage à quatre-vingt-dix degrés, et se force à accepter : le revoir servira au moins à décharger toute cette colère ! Quel gâchis ! Quelle perte de temps ! Elle aura soixante ans bientôt. Est-ce que la vie va continuer à s'appauvrir encore et encore, pour qu'on puisse la quitter sans regret, s'en aller, les mains vides, ne possédant plus rien, pas même la peur de mourir ? C'est trop tard, voudrait-elle crier, il fallait se réveiller avant ! Je suis vieille, mes cheveux sont blancs, j'ai des rides comme si j'avais cent ans, mes mains sont abîmées, les mains d'une momie, mon corps est resté mince mais il s'est éteint il y a des années, personne ne l'a touché depuis si longtemps… je suis fatiguée, vous m'avez tous tellement fatiguée.

Elle décide d'envoyer elle-même sa réponse dans un mail laconique :

« C'est moi qui viens. »

Faire ce voyage lui donne le sentiment de maîtriser enfin les choses, de ne plus les subir. Elle peut choisir à tout moment de reculer, de fuir, même si l'image d'elle sautant du train en marche la fait sourire, il faut être Jason Bourne pour projeter ce type d'évasion à bord d'un Eurostar !

Dans le wagon, elle tremble, comme d'habitude, il gèle, elle a gardé son manteau et serre son sac sur ses genoux. Elle sort son billet, s'assure qu'elle ne s'est pas trompée, qu'elle s'est bien assise place 27, puis se souvient qu'elle a déjà vérifié plusieurs fois si elle se trouvait à la bonne place dans le bon train. Elle se force à respirer normalement, essaie de retrouver un rythme régulier, mais dès qu'elle cesse de s'agiter, toutes ses pensées avec leurs têtes de tournesols se tournent vers lui, et les images reviennent, se mélangent… Leur profusion l'étonne, comme s'il avait suffi de laisser la porte entrouverte. Son visage flotte à présent, tel un jeune fantôme, il passe et repasse devant elle avec un drôle de sourire, d'une texture si réelle qu'elle pourrait le toucher, elle a dix-huit ans tout à coup, et le revoit au même âge. Il va l'attendre au bout du quai. Que va-t-il penser d'elle ? Il doit avoir les mêmes images en tête, les seules qu'ils puissent convoquer : eux, jeunes, pleins de vie, encore habillés de confiance, persuadés qu'un avenir radieux les attend.

Un frisson la parcourt des pieds à la tête, elle s'inquiète de la réaction de sa voisine. Ils doivent la prendre pour une illuminée, son regard est tendu, fixé sur son doux fantôme, si concentré à capturer l'image que son front et son visage entier se crispent. Elle ne parvient plus à contrôler sa joue, secouée de minuscules tremblements nerveux. Mais les autres passagers sont indifférents, confortablement assis dans leur carré, ou leur club duo, maîtrisant toutes les attitudes appropriées du voyageur, plongés dans un magazine, tapotant distraitement sur un portable... Certains regardent le paysage défiler au-dehors, sans s'attacher à aucune image, puis finissent par se replier sur eux-mêmes pour ne plus être là et dormir. Qui s'intéresserait à cette petite femme discrète, un peu grise, et pourtant, elle aurait grand besoin d'un secours, en cet instant où ses pensées semblent ne plus vouloir s'arrêter...

Elle l'imagine en train de se préparer, de choisir sa veste. Il en change à plusieurs reprises, il s'inquiète de l'usure. Il n'en a pas acheté de neuve depuis des lustres. Plus tard, il lui racontera qu'il ne possède effectivement plus rien. C'est sa femme qui était riche, il n'a rien pu garder après leur divorce, même ses enfants refusent ses visites, ils ne veulent plus le voir, pas même une heure de temps en temps. À ce point précis de sa vie, personne ne veut plus rien de lui, excepté ces deux êtres brusquement ressurgis du passé. Il n'hésitera pas longtemps à lui avouer combien il est seul et vit de peu. De toute façon, elle le constatera en entrant dans son petit appartement, il ne pourra pas l'empêcher d'entendre les trains passer, s'arrêter, et repartir en grinçant. Il paie son loyer au métro de Londres, l'appartement leur appartient, ainsi que tous ceux qui, collés au « Tube » comme le sien, ont les murs qui tremblent et vibrent dans la salle de bains de l'écho du haut-parleur *« Mind the gap please, mind the gap ! »* Leurs loyers sont trois à quatre fois moins chers que dans le reste de la ville. Il pensera à le lui expliquer. Il se presse, il ne faut pas qu'elle le cherche. Il doit être là, en avance, bien visible.

En chemin vers la gare, il essaie de ne rien envisager, de ne rien prévoir. Elle a voulu faire le voyage, mais n'a sans doute pas d'autres intentions que la curiosité de revoir un vieil amour d'adolescence. Elle veut peut-être le remercier d'avoir rencontré son fils, d'avoir été doux avec lui, qu'ils aient ce projet de se voir de temps en temps. Il a cru comprendre que leur vie a été rude, surtout pour elle. Peut-être a-t-il enfin une occasion de se rattraper ? Si on pouvait lui offrir une seconde chance... À lui de prouver qu'il en est capable. Si elle le veut bien, et accepte les retardataires.

Elle regarde le paysage défiler sans le voir, n'entend pas sa voisine lui demander de se lever pour la laisser passer. Elle triture son billet de train, qu'elle n'a pas lâché depuis le passage du contrôleur, pense à ce fils qui a su rassembler ses parents, le fantasme de tous les enfants de parents séparés. Il a réussi à leur faire vivre aujourd'hui un incroyable saut dans le temps. Elle se revoit à dix-huit ans, revenant d'Angleterre après y être restée quelques mois comme fille au pair, puis vendeuse de hot-dogs. Elle se souvient de son cœur impatient à l'idée de retrouver celui qu'elle aimait, du moment où elle a aperçu, au bout du quai, sa tête qui dépassait toutes les autres, sa démarche un peu maladroite, mais bizarrement si élégante, et ses bras immenses qui l'ont enserrée, la soulevant sans effort, elle qui faisait moins d'un mètre soixante et le poids d'un enfant.

Même si ce voyage n'aboutissait à rien d'autre qu'à rêver un court instant, son cœur déborde de reconnaissance pour ce fils qui, tant d'années plus tard, a su les rapprocher.

Elle n'y prête pas attention, mais le train ralentit et finit par s'arrêter complètement, en rase campagne, juste avant l'entrée du tunnel sous la Manche. Au début, personne ne réagit, puis les minutes passent et le contrôleur n'annonce toujours rien. Cette attente ravive la colère momentanément adoucie par toutes ses rêveries, si le train a du retard, est-ce qu'il va attendre ? Il est capable d'en profiter pour filer, il a toujours été lâche. Elle a un vieux portable dans sa poche qu'elle hésite à utiliser. Jusque-là ils n'ont communiqué que par mail. Et même s'ils ont échangé leurs numéros, entendre à nouveau sa voix pour lui expliquer que l'Eurostar est en panne gâcherait à jamais ces retrouvailles, elle tourne et retourne son téléphone dans sa poche et décide qu'elle ne s'en servira pas.

« Mesdames, Messieurs, veuillez nous excuser pour cet arrêt momentané du train, suite à des travaux, un obus a été découvert aux abords des voies, nous allons devoir attendre les démineurs pendant un temps encore indéterminé, veuillez nous excuser, nous vous tiendrons bien sûr informés des suites des opérations et du retard occasionné par cet incident indépendant de notre volonté. » Les voyageurs se regardent, éberlués. Un obus ? Un obus de la guerre 39-45 ou 14-18 ? Au XXIe siècle ! Et il existe encore des gens qui veulent faire la guerre, cinquante ans plus tard, on continue de le payer ! Le temps n'est rien, il ne compte pas. Rien ne disparaît vraiment, tout est là, pour toujours. Et un obus peut vous faire rater le rendez-vous de toute une vie. Est-ce qu'il attendra ? Un voisin explique à qui veut l'entendre qu'il faut chercher les démineurs, certes, mais pas n'importe quels démineurs, des démineurs spécialisés dans le vieux matériel de guerre, le temps qu'on les trouve et qu'on les fasse venir, il est probable qu'on n'arrivera pas avant des heures, peut-être devra-t-on même patienter la nuit entière.

Elle ne lui a pas parlé depuis des dizaines d'années, ce n'est pas pour lui raconter au téléphone que son train est bloqué par un obus !

Elle lui envoie un message par sms : « Ne sais pas quand train arrivera. T'expliquerai. Attends-moi. »

Les passagers examinent ensemble tous les désagréments suscités par cet obus surgi de terre, partagés entre l'envie d'en rire et l'exaspération d'être pris en otages par une bombe du siècle dernier. J'avais promis aux enfants… J'avais un rendez-vous d'embauche, je n'aurai jamais ma correspondance. Je vais devoir dormir sur place, vous croyez qu'ils paient l'hôtel… C'est l'anniversaire de ma fille, elle a six ans aujourd'hui… Je ne veux pas rater les retrouvailles avec le père de mon fils. Elle transpire, ses tempes lui font mal, sa joue droite se remet à trembler légèrement, elle tente de se rassurer toute seule comme elle l'a toujours fait : s'il reste, cette histoire d'obus ne sera plus qu'un mauvais souvenir, un gag absurde, improbable. Ils en riront ensemble… Il ne suffisait pas d'avoir attendu toute sa vie, il fallait encore accepter qu'un obus teste sa patience et son sang-froid. Elle voudrait hurler, s'évanouir, ou renoncer, disparaître, le tuer, au moins le mettre à terre, et puis le serrer, l'embrasser, pour finir en lui crachant dessus.

Mais elle n'a pas le choix, elle doit attendre, encore. Elle observe comment l'obus a tout de même permis aux gens de se regarder, d'échanger leur inquiétude, de faire des blagues idiotes sur ce contretemps stupide. Le wagon était triste, froid, personne ne levait les yeux de sa tablette ou de son téléphone portable, et voilà que l'atmosphère est devenue fraternelle, pleine d'ironie. Un jour peut-être, nous recroiserons-nous ? Excusez-moi, vous n'étiez pas dans cet Eurostar qui a été stoppé par un obus ? Si ! Alors, vous l'avez eu votre rendez-vous ?

Le train arrive en gare dans quelques minutes, le contrôleur vient d'en faire l'annonce. Elle a envie de se cacher entre deux rangées de fauteuils, heureusement, sa colère l'aide. Elle veut lui rendre coup pour coup, être aussi brutale que possible et lui montrer combien, par sa faute, la vie l'a blessée. Elle attrape son sac, prend une dernière respiration avant de descendre du train. Elle sait qu'elle va le voir dès qu'elle sortira. Il y aura des centaines de gens, une foule de voyageurs pressés gênera son regard, mais elle verra sa tête dépasser, et peut-être même son corps, en transparence. Elle sort, son cœur explose, chaque pas résonne dans sa tête, un bruit d'enfer, plus pénible encore que le crissement des freins tout à l'heure, qui continue de hurler dans ses oreilles, elle qui entend pourtant si mal depuis quelque temps. Elle a bien fait de prendre un cachet, elle ne devrait pas s'évanouir, elle a toujours peur de s'évanouir quand elle est gagnée par une émotion trop forte, ou qu'elle se sent enfermée. À la messe, quand elle était jeune, pour ne pas tomber, elle chantait, elle chantait beaucoup et très fort, l'unique façon de s'en sortir, c'est de participer… Elle ne va tout de même pas se mettre à chanter, non, il ne faut pas, il n'y a pas d'inquiétude à avoir, sa colère la porte et guide ses pas.

Il est là. Elle le voit au bout du quai, immense, avec ses larges épaules, il danse d'un pied sur l'autre. Il l'a vue, mais il hésite à s'avancer vers elle, avec son visage furieux. Elle le rejoint à grandes enjambées, ne l'embrasse pas, mais déverse, tout de suite, au milieu du quai, toute une litanie de reproches ! Les gens se retournent sur eux, il se tait, puis suggère timidement d'aller dans un endroit tranquille. Grâce à cette colère, ils ne se sont presque pas aperçus à quel point ils avaient vieilli et changé.

Dans le métro, ils prennent des couloirs et des escalators interminables qui les transportent dans un film de science-fiction, où les héros plongent sans fin dans les entrailles de la terre.

Il habite au-dessus d'un magasin de cartes postales, la vitrine déborde de cartes de vœux colorées, en relief, musicales… Il la fait entrer, s'excuse d'un désordre inexistant, lui propose un thé. C'est elle maintenant qui se tait, elle semble soudain d'une fragilité impressionnante. Elle est maigre, ses poignets et ses avant-bras sont des baguettes si fines qu'on pourrait les casser comme de vulgaires morceaux de bois. Il apporte l'eau bouillante, en renverse un peu sur la table, lui offre des gâteaux anglais. Elle trempe ses lèvres dans la tasse, oubliant la recommandation d'attendre que l'eau refroidisse.

Elle se brûle. Il l'embrasse doucement, précaution-neusement, pour réparer.

Le temps n'est rien, il ne compte pas. Rien n'a dis-paru, rien ne disparaît vraiment. Tout est là pour tou-jours. Et leur histoire reprend, presque quarante ans après, là où elle s'était arrêtée.

Sur la Terre un endroit écarté

Je lis dans le hall du théâtre du Rond-Point. Je viens souvent ici, pour rêver. J'ai commencé à prendre des cours de théâtre, comme je me l'étais promis à l'hôpital. Tous les samedis, je retrouve une bande d'adolescents de quinze, seize ans, un peu fous, qui bondissent sur scène dès qu'on parle d'improvisation, et se lancent dans des histoires intenses, impatients de tout donner, de sortir leurs tripes. Ils aiment les drames, les émotions fortes, et se fichent pas mal que leur professeur cite Jouvet pour les calmer gentiment : « Il ne suffit pas d'avoir les tripes, il faut la sauce pour les accommoder ! » Ils continuent de hurler en imitant Brad Davis dans *Midnight Express* : « Vous m'avez fait croire à ces 53 jours, vous les teniez vos putains de 53 jours !!! » Ils chantent *L'Aigle noir* ou le *Mal de vivre* à tue-tête, pleurent dans les scènes d'amour : « Orgueil, le plus fatal des conseillers humains, qu'es-tu venu faire entre cette fille et moi... » Ça purge, ça aide à se sentir vivant. Près d'eux, je ressemble au vilain petit canard d'Andersen, qui s'estimait insuffisant, pitoyable, jusqu'au moment où il croise des cygnes sur sa route et découvre, stupéfait, qu'il en est un. Cette rencontre justifie toutes ses maladresses et ses humiliations passées. Aucune nécessité de se conformer désormais, de courir derrière des êtres auxquels il ne ressemblera jamais. Il peut enfin vivre au milieu des siens ou revenir à ses anciennes amitiés, la tête haute.

Les semaines sont longues jusqu'au samedi. Je cache mes textes sous mon pupitre, *Mademoiselle Else*, *Les Trois Sœurs*, *La Ménagerie de verre*… « Ce sont presque tous des petits animaux de verre, les plus petits animaux de verre du monde… Tendez-le à la lumière, il adore la lumière. Vous verrez comme elle brille au travers… » J'apprends mes répliques en allant d'une classe à l'autre, pendant la demi-heure de queue à la cantine, dans le métro.

J'ai oublié les déceptions qui suivaient mes cours de danse. Je m'étais accrochée pourtant, de toutes mes forces, j'avais cru trouver une planche de salut et je ne voulais pas la lâcher, reconnaître qu'il était trop tard. Je finirais bien par y arriver, j'y arriverais en travaillant d'arrache-pied, il suffisait de mettre les bouchées doubles…

Il aurait fallu débuter à cinq ou six ans. Il aurait fallu avoir un cou-de-pied pour être capable de tenir sur les pointes. Et il aurait fallu avoir de l'« endehors »… Des centaines d'heures de torture n'ouvriraient pas mes hanches, et d'atroces bottes en plâtre qu'on m'avait conseillé de porter la nuit pour mes pieds plats m'empêchaient de dormir sans rien changer non plus. J'étais toujours aussi raide, en retard sur tous les mouvements. Au début de l'échauffement j'étais prête à en découdre, à m'envoler moi aussi au son du piano, mais je finissais invariablement planquée au dernier rang. Je rentrais dans les vestiaires en serrant les dents pour ne pas pleurer, m'efforçant d'ignorer combien les autres élèves s'amusaient de mes efforts inutiles. Le professeur m'avait encore démolie devant tout le monde : « Tes bras ressemblent à des ailes de poulet, sois plus gracieuse, on dirait des moignons ! » Il ne suffisait pas de supporter ses sarcasmes, il fallait encore entendre leurs rires, se retenir de pleurer jusqu'au bus, en s'assurant qu'aucune danseuse ne m'avait suivie et n'était montée dedans.

Je regardais les grands boulevards et puis les quais défiler derrière la vitre, concentrée sur la lumière du soir, les ponts avec leurs statues fraîchement redorées, si brillantes qu'elles ressemblent à des jouets kitchs, les bateaux-mouches qui disparaissent sous les ponts, et personne pour répondre aux coucous des touristes sinon quelques enfants compatissants… Je parvenais à effacer les mauvais moments, j'ai toujours eu une ardoise magique dans ma tête.

Le plus dur à avaler, ce qui était vraiment cruel, c'était que je savais. J'aurais pu continuer à m'illusionner, espérer que personne ne me tende un miroir et ne me dise un jour la vérité. J'aurais fini par ressembler à Florence Foster Jenkins, la chanteuse d'opéra bidon qui se payait des salles pleines, avec la claque.

Mais je savais. Je me faisais l'effet d'une insensée qui préparerait tranquillement son petit déjeuner dans la cuisine en écoutant la radio, imaginant se faire ensuite couler un bain, alors qu'une armée de bulldozers au coin de la rue s'apprêtait à raser sa maison. Il fallait prendre ses jambes à son cou, fuir… C'était irrécupérable, j'étais vraiment mauvaise.

Peut-être restait-il une dernière carte à jouer, si j'avais concentré mes efforts vers la danse moderne, inutile de souffrir sur des pointes, ni de se tordre les jambes ou les bras. Mais le cadre rigide, inaccessible de la danse classique m'attirait, je rêvais d'un cadre, un cadre qui me tienne et me rassure.

Plus tard, je découvrirai le cadre de la caméra, celui de la scène. D'une façon plus heureuse pour moi, ils rempliront cet usage, je serai cadrée par le chef opérateur ou le cadreur en personne, et même si cela peut sembler étrange, je trouverai tous ces cadres nécessaires et effectivement rassurants.

Mais à cet instant, dans le couloir de l'appartement, assise par terre, découragée, je n'entrevois pas d'autre perspective, je dois juste me rendre à l'évidence : je ne danserai jamais dans le moindre ballet. Ou alors tout au fond, la dix-huitième bayadère sur la droite, celle dont on ne voit que les poignets, et parfois un bout de chausson qui dépasse. Je prendrai la pose en attendant que le pas de deux se termine, ce pas de deux dont j'ai tant rêvé et que je ne danserai jamais. Je balancerai un bras voilé de gauche à droite pour animer le tableau vivant que nous formerons toutes ensemble, assises au fond de la scène, les unes derrière les autres, dessinant toutes sortes de guirlandes, je balancerai ce bras à l'autre bout du plateau, c'est tout. Et encore, il faudrait se torturer des années pour ça, pour y parvenir, peut-être… Je devrais continuer à mettre ces bottes en plâtre, attachées par un élastique, toutes les nuits, ma seule chance d'avoir un cou-de-pied normal. S'il « sortait » enfin, je ne serais plus obligée d'assouplir mes pointes en les cassant ; devenues molles, elles me faisaient moins mal pendant quelques semaines, et puis très vite, je devais en racheter d'autres, de nouvelles pointes à frapper contre un mur, à tordre et à casser…

Non, Sisyphe n'est pas heureux comme le prétend Camus, il transpire, s'épuise, se désespère. Il aimerait accomplir sa tâche, son rêve le porte, certes, lui donne de l'élan, mais il voudrait surtout en finir et arriver au bout.

Je me souviens d'un spectacle de fin d'année pour les parents, je dansais sur une musique d'ascenseur, dans un vrai théâtre… Je me souviens de ma joie en entendant prononcer son nom pour la première fois, le Palais des Glaces, et mon imagination était partie explorer tous les possibles, des rêves de chorégraphies compliquées en miroir, d'infinies mises en abîme.

Je n'étais jamais montée sur les planches mais j'avais assisté à des spectacles de danse avec mon père qui m'avait offert un abonnement à l'Opéra. Ces soirs-là, je ne m'asseyais jamais au fond de mon fauteuil, je restais en équilibre sur une fesse, prête à bondir pour rejoindre cet autre monde, plus léger, plus simple vu du balcon, ce monde où les corps s'envolaient, maîtrisaient l'espace immense de la scène, détachés de toute pesanteur.

Au théâtre des Glaces, j'allais enfin traverser le quatrième mur, rejoindre ces êtres mystérieux qui

m'électrisaient depuis la rangée de deuxième catégo-
rie réservée par mon père une fois par trimestre.

Après une légère déception face aux moulages
d'éléphants qui ornent la porte d'entrée, l'intérieur du
Palais des Glaces dépasse mes espérances. L'odeur de
la salle éveille mes sens, une odeur piquante et mystérieuse, celle d'un vieux livre retrouvé qu'on vient à
peine d'ouvrir, les fauteuils vides qui attendent les
spectateurs sont d'un rouge écarlate que j'associe
immédiatement à celui de ma maison d'enfance, la
scène éclairée de dizaines de projecteurs forme un
cercle blanc qui m'hypnotise, un cercle de lumière
dans lequel on doit paraître grandi, plus intéressant,
plus beau, un filtre pour devenir meilleur, les cintres
que j'aperçois depuis l'orchestre et toutes ses guindes
attachées à des nœuds compliqués me transportent
sur un bateau… Je veux faire partie du voyage, ces
choses vibrent, m'attendent, me donnent une envie
irrésistible de rejoindre le plateau pour le goûter,
« viens goûter l'eau », réclament les enfants en arri-
vant sur la plage… Le public c'est la mer, le pros-
cénium nous en éloigne un peu, il nous protège des
regards trop proches, nous isole depuis la rampe, le
public est à marée basse. Sur scène le parquet glisse,
il faut plonger nos chaussons dans la colophane, je
n'ai pas peur de tomber, pendant tout le spectacle je
flotte à quelques centimètres du sol dans les rayons
de lumière, au milieu des microparticules de poussière qui s'envolent avec moi. La musique m'enveloppe, mes gestes vivent tout seuls, c'est mon double
qui danse, un double heureux pour qui le temps

214

s'écoule au ralenti... Les applaudissements continuent de résonner dans ma tête, quand tout est fini. Être regardée, être vue, et être remerciée, félicitée pour ça. J'étais sans doute aussi mauvaise que d'habitude, peu importe, et tant pis si le coup de foudre eut lieu sur la *Ballade pour Adeline* de Richard Clayderman plutôt qu'avec Tchaïkovski ou Ravel. Je me souviens du seul plaisir de danser, du sentiment océanique de faire partie d'un tout, puis d'être distinguée, d'exister enfin. Je veux revivre ce plaisir à tout prix, remettre une pièce dans la machine, avoir le privilège d'un deuxième tour de piste, d'une autre chance.

Pourquoi désire-t-on par-dessus tout l'inaccessible ? En cette fin d'après-midi grise, assise dans le couloir, les jambes en travers, encombrée de moi-même et de ce corps qui, décidément, ne veut pas être à la hauteur, je décide de jeter l'éponge, j'accepte de ne jamais être la danseuse dont j'avais rêvé.

Mon père continue de m'emmener à l'Opéra, à cause de l'abonnement. « Tu veux qu'on arrête ?

— Non, surtout pas ! » Tendue comme un arc dans mon fauteuil, je me répète que je ne vivrai jamais là-bas, sous la lumière, au milieu de ces créatures auxquelles j'ai cru pouvoir ressembler. Il faudra se contenter de peser des tonnes, renoncer à être agile, libre, pour partager un quotidien banal et gris avec des gens empêtrés, maladroits, n'ayant peut-être qu'un seul avantage, celui d'être bien réels.

À ma camarade de TS, j'avais parlé d'une histoire de garçon, mais le vrai chagrin d'amour, c'est la danse qui me l'a donné. Je voulais voler, j'ai toujours cru ça possible, d'une façon ou d'une autre. « On ne réussit bien que ses rêves », le leitmotiv de mon père était devenu le mien, ce qui ne m'empêchait pas de toucher quelques gris-gris au fond de mes poches pour me rassurer, on ne sait jamais.

Le théâtre est un lot de consolation merveilleux. Les émotions ont enfin leur place, dans un cadre doré, solide, où tout est possible. « *Et chercher sur la Terre un endroit écarté où d'être homme d'honneur, on ait la liberté...* » Je connais le début et je connais la fin. Elle peut être terrible, mais j'y suis préparée. « C'est ça, le spectacle : attendre, seul, aveugle, sourd, on ne sait pas où, on ne sait pas quoi, qu'une main vienne vous tirer de là, vous mener ailleurs, où c'est peut-être pire. » Exactement comme le décrit Beckett, « elle est longue, cette main amie, à venir prendre la vôtre ». Mais elle finit par arriver, presque toujours, tandis que dans la vraie vie, comme si l'autre était fausse, on ne peut qu'attendre, espérer, la main amie reste introuvable.

Les personnages de Tchekhov s'en étonnent, « la vie est brutale », alors ils se soulagent en buvant de la vodka. Dans les moments heureux, quand on est chez soi, bien à l'abri, il faudrait que quelqu'un puisse venir toquer à notre porte et nous rafraîchir la mémoire, nous alerter lorsqu'un malheur arrive...

« Tant d'hommes devenus fous, tant de seaux de vodka bus, tant d'enfants morts d'inanition. Et cet ordre des choses est apparemment nécessaire ; apparemment l'homme heureux ne se sent bien que parce que les malheureux portent leur fardeau en silence et que sans ce silence, le bonheur serait impossible. C'est une hypnose générale. Il faudrait que derrière la porte de chaque homme satisfait, heureux, se tienne quelqu'un armé d'un petit marteau dont les coups lui rappelleraient sans cesse que les malheureux existent, que, si heureux qu'il soit, la vie lui montrera tôt ou tard ses griffes, le malheur, la maladie, la pauvreté, les deuils viendront s'abattre sur lui, et que personne à ce moment-là ne le verra ni ne l'entendra, comme lui maintenant n'entend ni ne voit personne. Mais l'homme au marteau n'existe pas, l'homme heureux vit, les petits soucis quotidiens l'émeuvent légèrement, comme le vent fait bouger les feuilles du tremble, et tout continue comme par le passé… Pavel Konstantinovitch, continua Ivan Ivanovitch d'une voix suppliante, ne vous endormez pas ! Tant que vous êtes jeune, fort, alerte, ne vous lassez pas de faire du bien… Si la vie a un sens et un but, ce sens et ce but ne sont pas du tout dans notre bonheur personnel, mais dans quelque chose de plus sage et de plus grand, faites le bien ! »

Pavel, ne vous endormez pas… Je ne m'endors pas. Comment le pourrais-je ? Il faut être spectaculairement fort ou particulièrement inconscient pour s'estimer capable de faire face à tout ce qui pourra surgir sans prévenir, et savoir l'éviter. Le pire ne s'annonce jamais, il ne toque pas à la porte, il s'invite, et c'est déjà trop tard. Une mauvaise réponse, une inattention, et c'est la chute.

Pardon

Le dernier jour des vacances, chaque fois qu'arrivait le moment de faire les valises, de dire au revoir et prendre la route, elle était angoissée. Elle déteste conduire. C'est lui qui s'installe au volant, la plupart du temps, mais il roule beaucoup trop vite. C'est presque du suicide. Elle ne pense même pas à le lui dire. Ce serait simple pourtant : « Roule moins vite, s'il te plaît, tu me fais peur et tu fais peur aux enfants… » Non, elle se tait, attend que la voiture se gare enfin devant la porte de l'immeuble et que tout le monde descende.

Ce matin-là, comme toujours, son mari a plus urgent à faire que de l'aider à boucler les valises. Elle essaie de se concentrer sur les derniers préparatifs. Si seulement les enfants pouvaient la laisser un peu tranquille.

« Va jouer dehors, je dois ranger, me sécher les cheveux, va jouer avec ton frère… Allez !

— Non, maman, je veux être avec toi, laisse-moi rester là… Je ferai pas de bruit, je te dérangerai pas, je te promets.

— Écoute-moi ! Va dehors, c'est le dernier jour des vacances, profites-en…

— Non ! Non, maman… »

Comment lui dire qu'à trois ans aussi on a peur du changement, de la voiture en bas, de tous les bagages qui attendent dans un coin, mieux vaut rester près d'elle bien collée pour être sûre de faire partie du voyage, de ne pas être oubliée. Elle s'énerve, sa fille ne l'écoute pas, ne lui obéit jamais, de toute façon personne ne l'écoute, ni son mari ni ses enfants, sa voix ne porte pas. Comme toujours, sa mère ne sortira de ses appartements qu'au dernier moment, juste avant leur départ, elle surgira comme un diable de sa boîte pour distribuer des œufs frais, quelques images pieuses, des prières-porte-bonheur… Qu'est-ce qu'elle espère ? Que ces cinq minutes de gentillesse suffiront à faire oublier qu'elle les a ignorés tout au long du séjour, ne changeant aucune de ses habitudes, dormir le jour, s'affairer la nuit. « Je n'ai pas le temps, je n'ai vraiment pas le temps… » Elle est à la fois le lapin d'*Alice au pays des merveilles* et la reine coupeuse de têtes. « Si vous ne m'aidez pas à monter ces pots de fleurs remplis d'eau dans la lingerie, les enfants, je vous tranche la tête… !

— Mais à quoi ça sert ?

— Ne posez pas de questions, portez-les jusqu'à la buanderie, vite !

— On ne pourrait pas les vider avant, ils seraient moins lourds ?

— Surtout pas ! Allez, allez ! Dépêchez-vous, ne me faites pas perdre mon temps… » Les enfants obtempèrent, craignant que d'autres tâches aussi absurdes ne suivent. Mais dès qu'elle s'éloigne, ils s'enfuient en riant. Elle n'essaie jamais de les rattraper, de leur courir après, ne les réprimande pas davantage quand elle les retrouve plus tard en train de goûter dans la cuisine. Est-ce qu'elle oublie, passant à la vitesse de la lumière à une autre de ses innombrables préoccupations, ou est-elle simplement habituée à ce que tout le monde disparaisse autour d'elle, tôt ou tard ?

« J'ai besoin d'être tranquille. On va faire des heures de voiture, va prendre un peu l'air. C'est idiot de rester enfermé ! » Elle crie pour couvrir le bruit du sèche-cheveux, en faisant rouler la brosse dans sa chevelure épaisse.

J'aime lui tourner autour, sentir l'odeur de ma mère, je réclame un geste, une caresse, comme un petit chien, et puis qu'elle me coiffe aussi. « Maman, quand tu auras fini avec le sèche-cheveux, tu me feras une natte ?

— Bon. Puisque c'est comme ça, tu prends tes affaires et tu vas dans ta chambre.

— Non ! Maman... Je veux rester avec toi. Je veux...

— Alors je vais t'y conduire moi-même. »

Elle me tire par le bras pour m'emmener dans ma chambre. Elle marche vite, je cours à côté, par moments elle me soulève. Arrivée dans la pièce, elle prend mon manteau et mes bottes, les laisse tomber au pied d'une chaise et me force à m'asseoir.

« Voilà, tu ne bouges plus jusqu'à ce que je revienne te chercher, c'est compris ? Tu attends, tu es punie... »

Je me relève, elle me tourne le dos.

« Oh et puis fais ce que tu veux, ça m'est égal, je veux plus te voir.

— Maman ! Maman !

— Réfléchis, peut-être que la prochaine fois tu m'écouteras, tu dois obéir, tu entends !

— Maman, pardon ! Maman ! »

Elle est déjà partie, en claquant la porte derrière elle. Je me précipite. Maman ! Je tourne la poignée dans tous les sens mais la porte est dure à ouvrir. Je n'ai pourtant pas entendu de tour de clé. Maman ! Maman ! Je m'excuse, je t'écouterai maintenant, c'est promis. Je me mets à pleurer. Je ne veux pas rester coincée ici, il faut que je sorte de là, à tout prix. Je tourne la poignée de toutes mes forces. La porte est bloquée. J'appelle. Ma chambre est au bout du couloir, personne ne m'entend. Et ma mère est en train de se sécher les cheveux. J'ai beau crier, elle n'entend rien. Je l'ai mise en colère, je regrette de ne pas avoir obéi, je regrette mille fois de ne pas avoir compris que si j'insistais tout allait mal finir, je ne dois plus être aussi têtue, pourquoi ne pas avoir fait ce que ma mère demandait, l'attendre dehors, avec mon frère ? J'avais tellement envie de rester tout près d'elle jusqu'au départ. J'ai peur d'être oubliée, j'ai peur de la reine folle, ma grand-mère, sa bouche est glacée quand elle m'embrasse. C'est ma faute à présent, si je me retrouve prisonnière dans cette chambre. S'ils partent sans moi, je resterai peut-être enfermée pour toujours. J'entends une voiture qui démarre en bas dans la cour, non ce n'est pas déjà le moment du départ, elle n'a pas encore descendu les valises. Il faut aller tout de suite lui demander pardon ! Je tourne autour de la pièce, mais les murs sont immenses, et rien ne s'ouvre. À part cette fenêtre. Celle-là est trop haute et bien fermée. Mais l'autre, grande ouverte, avec la chaise du bureau qu'on peut pousser dessous, juste en dessous, ce ne doit pas être difficile de l'escalader ! Encore un effort, et je pourrai m'asseoir sur le bord.

C'est haut, mais grâce à la chaise me voilà perchée, à cheval, dans l'encadrement de la fenêtre, je vois les graviers en bas, des milliers de petits cailloux blancs, beiges ou gris qui brillent éparpillés sur le sol, comme autant de pierres précieuses. Il n'y a qu'à sauter, je me déposerai un peu plus loin, à la frontière avec les cailloux, dans l'herbe douce. Ensuite, je ferai le tour par la cuisine, je monterai les escaliers, continuerai jusqu'à sa chambre, la deuxième porte à droite du couloir, et je demanderai pardon. Pardon maman. Pardon.

Je saute.

Je sais bien que je ne peux pas voler tout à fait, comme un oiseau, mais je dois pouvoir flotter, me déposer doucement… La chute est lente, elle dure. Je ne tombe pas comme une balle, je ne roule pas sur moi-même, je n'ai pas plongé la tête la première, mais imaginé me poser comme une plume, le vol d'une feuille emportée par le vent. « En ronde monotone tombe en tourbillonnant… » À la fin, tout s'accélère. Le sol se rapproche de moi à toute allure. Et d'un seul coup je le rejoins. Je ne suis pas blessée, je n'ai pas mal, j'ai gagné !

Me voilà assise sur les cailloux, pas exactement où j'avais visé, je suis très loin de l'endroit où j'avais prévu d'atterrir, et les cailloux ne brillent plus du tout, maintenant qu'ils sont répandus autour de moi, poussiéreux et durs sous ma peau, presque tranchants. Mon vol manquait de souffle, j'imaginais plus d'ampleur, je m'appelle Icare, non je suis encore trop petite pour connaître Dédale et son fils, je n'ai que trois ans et je viens de sauter presque deux étages. Je suis déçue de ne pas être un planeur mais je n'ai pas mal, je ne ressens rien, absolument rien.

Et pourtant quelque chose cloche, je n'arrive plus à me lever. Je ne peux plus m'appuyer sur mes jambes. Elles ne sont pas douloureuses. Elles ne saignent pas. Aucune égratignure. Mon dos non plus. Rien ne saigne. Simplement, je ne peux plus bouger. Je reste assise, immobile, comme dans ce conte où les gens se transforment en statues. Je suis une statue. Pourquoi mes jambes ne me portent-elles plus, pourquoi refusent-elles catégoriquement de faire leur travail ? Je ne comprends pas, et je commence à avoir peur, plus encore que tout à l'heure, lorsque j'étais enfermée là-haut. Maintenant je suis dehors, mais le résultat est le même, je ne peux toujours pas aller lui demander pardon. Je VEUX me lever, aller dans sa chambre, passer par la cuisine pour lui demander pardon ! Je veux… ma volonté ne sert à rien. Je suis prisonnière d'une façon si mystérieuse. On dirait que quelqu'un se tient tapi derrière moi et me jette un sort, sans doute pour me punir de n'avoir pas écouté ma mère. Je me mets à pleurer. Il y a, c'est certain, une main invisible qui me tient clouée au sol.

J'appelle, je crie ! Et tout là-haut, je vois ma mère, ma mère qui se penche à la fenêtre d'où je viens de tomber : Oh, non ! Non ! Pas ça !

Je ne veux pas voir ma mère paniquer, courir vers moi, répéter : Non, non, non !

Elle est si blanche, son corps tremble.

« Pardon, maman. Pardon, je ne peux plus bouger. »

Elle court chercher de l'aide, affolée, ne trouve pas les clés de la voiture… Quand elle les trouve enfin, elle me porte dans ses bras, me glisse sur le siège avant, qu'elle a complètement incliné. Et soudain j'ai mal, très mal, c'est un vrai supplice, je voudrais sortir de là, quitter cette douleur, mais la souffrance se colle à ma jambe comme si elle voulait y entrer, la mettre en miettes.

J'aimerais qu'on arrive vite à l'hôpital, mais il faut s'arrêter à une station-service, il n'y a plus d'essence. Oh, maman, si seulement tu pouvais rouler plus vite… ! Je me tais, je ne dois pas me plaindre, surtout pas, ni lui demander d'accélérer car chaque changement de vitesse, chaque bosse, le moindre trou dans le sol secoue la voiture et tous ces chocs sont autant de petits couteaux, de pointes qui n'en finissent pas de s'enfoncer, très lentement, jusqu'à l'os, pendant que cet os tourne sur lui-même, comme si on l'essorait.

« Tu vas souffler dans un ballon, tu vas voir… » Tiens, je me dis, il doit y avoir une petite fête quelque part, c'est gentil de m'y emmener, je n'ose pas leur avouer que je n'ai plus de force, plus aucune force et aucune envie non plus de faire la fête. Ils doivent savoir ce qu'ils font, ce sont eux les adultes. Je vais penser à autre chose, et ensuite je me retrouverai solide sur mes jambes, de toute façon ils ont promis de me soigner. Je suis presque joyeuse, malgré la douleur. Ils poussent une porte à deux battants qui claquent fort derrière moi, comme si j'entrais dans un saloon. « Voilà, c'est là que tu vas souffler. » L'endroit est blanc et glacial, il n'y a aucun indice de fête, aucune fête par ici. Le « ballon » qu'on me tend ne ressemble pas du tout à un ballon. Devant mon hésitation, quelqu'un me plaque le masque sur le visage et m'ordonne de respirer dedans, il crie : « Plus fort, allez, encore, encore ! » Une odeur qui fait mal à la tête se dégage de l'objet qu'on me colle, qu'on m'écrase sur la bouche et sur le nez, une femme avec une blouse verte tient ma tête, pendant que les autres bloquent mes bras pour m'empêcher de bouger. « Calme-toi, ce sera bientôt fini. » Cette odeur me brûle la gorge, les yeux me piquent, ma respiration ralentit malgré moi, je ne peux plus la diriger, et mon corps devient si mou que j'ai l'impression de le quitter. J'essaie une dernière fois de me débattre, de toutes mes forces. Je vois clairement maintenant à qui j'ai affaire, à des menteurs, ils me font mal, avec cet appareil qu'ils voudraient me faire prendre pour un ballon, ce sont peut-être des fous ! Ma mère m'a laissée seule avec des fous… C'est trop tard, toutes mes forces m'ont quittée d'un seul coup, est-ce qu'ils m'ont étouffée ? Je n'aurais pas dû accepter de les suivre, ils mentent, ils m'avaient pourtant promis… Qu'est-ce qu'ils avaient promis, des ballons, des jeux… Je ne les entends presque plus, comme s'ils étaient très loin, dans une autre pièce, ou bien c'est moi qui ai mis les voiles. C'est si calme… Ils m'ont peut-être tuée.

« *Je suis verticale*
Mais je voudrais être horizontale.
Je ne suis pas un arbre dont les racines en terre
Absorbent les minéraux et l'amour maternel
Pour qu'à chaque mois de mars je brille de toutes mes
    feuilles,
Je ne suis pas non plus la beauté d'un massif
Suscitant des oh ! et des ah ! et grimée de couleurs vives,
Ignorant que bientôt je perdrai mes pétales.
Comparés à moi, un arbre est immortel
Et une fleur assez petite, mais plus saisissante,
Et il me manque la longévité de l'un, l'audace de
    l'autre.

Ce soir, dans la lumière infinitésimale des étoiles,
Les arbres et les fleurs ont répandu leur fraîche odeur.
Je marche parmi eux, mais aucun d'eux n'y prête
    attention,
Parfois je pense que lorsque je suis endormie
Je dois leur ressembler à la perfection –
Pensées devenues vagues.
Ce sera plus naturel pour moi, de reposer,
Alors le ciel et moi converserons à cœur ouvert,
Et je serai utile quand je reposerai définitivement :
Alors peut-être les arbres pourront-ils me toucher, et
    les fleurs m'accorder du temps. »

Comme dans le poème de Sylvia Plath, est-ce que c'est moi qui ai voulu mourir ? Après tout, j'ai voulu le faire de nombreuses fois par la suite. J'avais presque quatre ans, on peut sentir le danger à cet âge, on est déjà tombé, on sait ce qu'il se passe quand on chute, on sait qu'on se fait mal, que le corps se blesse. Ne m'avait-on jamais mise en garde ?

Peut-être n'avais-je pas voulu y croire, et préféré penser que nous étions solides, presque immortels…

Ma mère était enceinte de cinq ou six mois, ce n'est pas tant pour les valises que je voulais rester près d'elle, j'aurais aimé rejoindre ce ventre chaud. J'aurais aimé renaître.

Tout recommencer.

Et tout recommence. Par deux fois, à vingt ans d'intervalle, penchée à la même fenêtre, une enfant a failli mourir, en ne souhaitant qu'une seule chose : demander pardon à sa mère. La première fois, l'enfant fut sauvée de justesse, les doigts encore serrés sur le collier de perles avec lequel elle jouait un instant plus tôt, tandis que sa mère la maintenait au-dessus du vide. La seconde fois, c'était moi, comme pour l'imiter, et reproduire quoi ? Sommes-nous toutes deux victimes d'un charme, d'un mauvais sort jeté il y a fort longtemps par une fée, une âme tourmentée rêvant d'obscures vengeances ? Car tout cela se passait dans un vieux château à tourelles, recouvert de lierre, habité par d'antiques esprits, qui aimaient bien, malgré les années, se raconter plusieurs fois la même histoire.

Verticale

« Les petits enfants qui tombent du balcon
Toute leur enfance défile dans leurs yeux
Elle est courte, ils s'ennuient même un peu
Alors ils regardent ce qui se passe autour d'eux
Ils s'échappent, ils volent devant les fenêtres
Ils disent bonjour à tous les locataires
On les invite à venir prendre un verre
Ils disent d'accord mais ils ne restent
[qu'un instant. »

Les Petits Enfants,
Bashung – Tardieu.

J'entends la voix du médecin expliquer à mes parents qu'« elle boitera toute sa vie... » Ils sont assis près de moi au bord du lit, personne n'ose regarder le chirurgien dans les yeux, lui-même regarde ailleurs, il tripote son stylo avant d'ajouter que « la jambe, victime d'une fracture en biseau, restera toujours plus courte, sauf si l'enfant garde le lit des mois sans bouger, sans poser les pieds par terre. Si votre fille respecte la consigne à la lettre, la différence entre les deux jambes pourrait se réduire à quelques centimètres, et dans ce cas peut-être qu'on ne la verra pas... »

« Mais c'est difficile pour un enfant de ne pas bouger pendant des mois », ajoute-t-il en se réfugiant derrière son ordonnance. Il me prescrit de la vaseline et des compresses stériles que mon père doit changer lui-même, ou plutôt arracher, tous les jours. Chaque soir, le moment des compresses est une torture, et me laisse dans un profond désarroi, pourquoi devons-nous en passer par là, pourquoi mon père s'exécute-t-il alors qu'il m'entend hurler, pourquoi ai-je toujours cicatrisé si mal... ?

J'attends les visites, les jeux qu'on m'offre pour m'encourager à rester immobile le plus longtemps possible, l'arbre Mako, des fils et des perles, je fais des centaines de colliers, ou l'ardoise magique qu'on efface pour recommencer indéfiniment. Si seulement on pouvait l'utiliser pour autre chose qu'un simple dessin, mon vol raté par exemple. J'apprendrai plus tard à appliquer mentalement cette méthode, comme pour mes nombreuses déceptions amoureuses... Effacer les erreurs de ma tête, pour ne garder que le meilleur.

Ils m'ont acheté une machine à tricoter mais je ne m'en sers pas, je rêve surtout, et quand je rêve, j'oublie à quel point c'est long, et combien j'ai mal. On s'habitue aussi à ça.

La première nuit, j'implore les infirmières d'arrêter la douleur, et je ne comprends pas pourquoi ma mère en est incapable, elle qui m'aide habituellement en toute chose.

D'où vient donc cette souffrance mystérieuse, si puissante que les adultes eux-mêmes ne la maîtrisent pas ? On peut pourtant leur demander à peu près tout, pour quelles raisons étranges, alors que j'ai réellement besoin d'eux pour la première fois, sont-ils si démunis ?

Toute la nuit, elle me répète qu'il suffit de patienter, mais moi je veux qu'on détache ma jambe le plus vite possible, qu'on m'enlève enfin ce poids à l'intérieur de mes os, ces os qui ne cessent de se tordre, de s'enrouler, et je supplie ma mère, ce poids, retire-le !

Je fête mes quatre ans à l'hôpital. Une bonne sœur passe me voir souvent, elle me sourit. Elle m'a donné un ours en peluche, je suis rassurée quand elle est là, j'ai moins mal, les autres n'ont pas ce pouvoir.

Tous les soirs, avant de m'endormir, je serre la peluche grise qu'elle m'a confiée, et dans la pénombre du dortoir, je pense à elle, qui s'assied sur le bord de mon lit, joue avec moi, part, revient…

Chaque jour j'attends sa venue, sans pouvoir l'appeler, je ne connais pas son nom.

Les semaines passent, et je n'en garde aucun souvenir. Je rentre à la maison, je regrette juste de devoir la quitter… Il n'y avait rien à faire contre la douleur, à part boire un peu d'eau sucrée, seule sa présence m'apaisait, me donnait l'impression d'être importante. Je n'étais plus une petite patiente banale, une malade à soigner, mais l'enfant qu'elle ne pourrait jamais avoir. Sans le comprendre aussi clairement, je le lisais dans ses yeux et son sourire si doux.

Dans le couloir étroit de l'appartement rouge, je réapprends lentement à marcher. Je prends appui sur les murs de chaque côté, mes jambes sont faibles, semblent ne pas entendre les ordres qu'essaient de leur communiquer ma volonté et mon cerveau, mais tous ces petits progrès accumulés, mis bout à bout, me permettent un jour de longer enfin l'interminable couloir. Je ne me tiens presque plus, je peux le traverser depuis l'entrée jusqu'à la chambre de mes parents, et franchir enfin la ligne d'arrivée.

L'arrivée

« Je vais me marier !

— C'est vrai, papa ? Oh, je suis heureuse pour toi !…

— Ah bon ? Tu es sûre ?

— Mais oui, c'est beau un mariage ! »

Je vais assister au mariage de mon père. Je parle toute seule dans la rue, j'ai quarante-trois ans bientôt et je vais voir mon père se marier ! Je croise une vieille dame, j'ai envie de la prendre dans mes bras pour lui annoncer la bonne nouvelle. Des enfants à vélo me doublent, je me mets à courir, je voudrais les rattraper, leur dire à eux aussi, et ce monsieur en costume-cravate, je serrerais volontiers sa main… Mais je poursuis mon chemin, imaginant seulement comment je pourrais partager ma joie avec tous les passants. C'est une belle journée, même s'il fait encore froid, les trottoirs sont glissants, il a plu cette nuit. Dans quelques semaines à peine ce sera le printemps, et nous serons tous réunis.

Tout le monde est en avance. Il y a une trentaine de personnes, des couples d'amis, les frères et les sœurs, quelques parents, les enfants. Ils portent des vêtements avec des couleurs, pas de noir et blanc. Mon père est habillé en Quiksilver comme toujours, une ceinture large marque sa taille. Le mariage précédent a pris du retard. Il sort sans cesse sur le parvis de la mairie pour fumer. Les mariés passent d'un groupe à l'autre, mais leurs pensées sont ailleurs. Dans un instant ils se diront oui. Il n'y a eu que quelques mariages gays célébrés en France, la loi vient de passer, c'est une révolution. On nous annonce que ce ne sera pas le maire lui-même mais son adjoint qui prononcera le mariage. Le maire a-t-il eu un problème de conscience, comme l'y a autorisé le président François Hollande : si un maire, pour quelque raison que ce soit, religieuse ou personnelle, refuse en tant que représentant de la République de rendre valide un mariage homosexuel, il pourra simplement invoquer sa « liberté de conscience », car « des possibilités de délégation existent et peuvent même être élargies… ». Mais aujourd'hui personne n'a envie de se poser la question, le maire est malade ou retenu par une importante obligation politique ou familiale, et puis l'adjoint nous accueille avec enthousiasme et chaleur, peut-être a-t-il lui aussi des raisons d'être ému… ? À voir sa fébrilité, c'est probablement son premier mariage gay, il a l'air de s'en réjouir.

La petite assemblée monte les escaliers en marbre, passe devant la monumentale statue de Marianne qui sourit. Je me retourne et la regarde une dernière fois avant d'entrer dans la salle d'honneur, « dommage que je ne puisse pas t'accompagner, semble-t-elle me dire, j'aurais aimé grimper ces quelques marches avec vous pour fêter ça ». Je la revois dans le tableau de Delacroix, en *Liberté guidant le peuple*... Et si Marianne était gay ? Les mariés s'installent côte à côte. Les enfants sont derrière, les amis un rang plus loin. L'adjoint fait deux, trois blagues pour mettre tout le monde à l'aise, tente d'assouplir un peu le protocole, et se lance. Conscient de vivre un événement historique, il essaie de ne pas tomber dans une emphase qui l'emporterait trop loin, et garde un bon rythme, malgré l'émotion qui gagne l'assistance. Après le « oui », il invite les mariés à s'embrasser, ils échangent un baiser tendre, plein de délicatesse, et se retournent sous les applaudissements. « Voulez-vous faire un discours, l'un ou l'autre, ou tous les deux ?

— Je voudrais remercier mes enfants qui m'ont toujours soutenu, quoi qu'il arrive... » La voix de mon père se brise.

« *Qu'il est long, qu'il est loin ton chemin papa, tu devrais t'arrêter dans ce coin...* » Notre chanson préférée revient en boucle dans ma tête. Mes frères et moi la chantions dans la voiture, ou lors de nos interminables concours de danse. Je repense à ce chemin qui s'éclaire aujourd'hui mais fut si long, semé de doutes, de malaises, de faux-semblants, de révoltes et de sacrifices pour arriver à cet instant simple et heureux, encore un peu emprunté.

« *Mais il ne nous écoutait pas, et dès le petit jour, la famille reprenait son voyage au long cours...* »

Je sors mon portable de ma poche pour filmer, mais je préfère garder les yeux grands ouverts, vivre simplement le moment présent. Je nous revois traversant toutes sortes de tempêtes, ce week-end à Copenhague avec Paul et Alice, ou les vacances de neige, après leur séparation, lorsqu'il restait allongé toute la journée dans le petit chalet loué pour la semaine. On mangeait des boîtes, des dizaines et des dizaines de boîtes, des boîtes de crème Mont Blanc au caramel, au chocolat, à la pistache, et des « tomates à la provençale », sa spécialité. Elle consistait à couper dans une poêle des tomates en deux, les retourner de chaque côté, casser des œufs au milieu, mettre des herbes de Provence, du thym qu'on ramassait dans le jardin. Les œufs étaient cramés, les tomates froides… c'était un mélange bizarre de cru et de trop cuit, le tout baignait dans l'huile d'olive, et pourtant personne n'en laissait dans son assiette.

Je l'écoute parler de nous, j'essaie de garder les yeux secs en fixant le plafond, je me concentre sur les tomates à la provençale et regrette d'avoir mis du mascara, moi qui ne me maquille pratiquement jamais. Je regarde mes frères, eux aussi pourraient pleurer s'il n'y avait pas tant de gens autour, et les lambris dorés de la salle des mariages.

Le buffet est grandiose, toute la maison a été décorée pour l'occasion. Sur le gâteau, genre de pièce montée, sont plantées de grosses bougies d'où jaillissent des étincelles comme autant de petits feux d'artifice. Les mariés posent pour les photos, puis coupent ensemble le gâteau, leurs mains l'une sur l'autre, comme si elles n'en faisaient qu'une, je sens l'émotion revenir à grands pas. Mon frère accompagné de sa guitare commence une chanson qui parle de notre enfance. Je chante avec lui : « *En commun les longs voyages en France, les colonies, la première Gitane, les cabanes, les cicatrices, en commun le mange-disques mais personnels les rêves, les abandons, de la terre jusqu'au ciel, les marelles, jusqu'au ciel… en commun les chagrins des années quatre-vingt, dans nos radioréveils, qu'est-ce que sera demain ?* » Qu'est-ce que sera demain, le début ou la fin… chantait Yves Simon en boucle dans l'appareil à cassettes audio de la vieille R16 bleue, pendant qu'on traversait la France à plus de 180 kilomètres à l'heure pour partir en vacances… En regardant par la fenêtre, je rêvais de nouvelles rencontres ou repensais avec nostalgie à mon premier baiser, j'avais voulu la présence de ma meilleure amie pour sauter le pas… mais grâce à ma bonne étoile ou à la maîtresse, j'eus droit à une seconde chance, et j'osai cette fois le tête-à-tête ; cachés derrière des robes et des manteaux, on ne voulait pas prendre le risque de s'embrasser à nouveau, au fond du placard, mais seulement être proches et se tenir la main.

La partie émergée de l'iceberg

Nous arrivons sur la plage, les bras chargés de sacs remplis de serviettes, de pelles, de seaux, de bouées, de râteaux. Les enfants marchent devant, heureux de retrouver la mer. Ils s'installent à la frontière du sable mouillé. « Là, maman ! » J'étends les serviettes à la bonne place, ils retirent leurs vêtements et je les enduis à toute vitesse d'une épaisse couche de crème solaire, regonfle les bouées, les suppliant d'attendre encore quelques secondes avant de leur rendre leur liberté, armés pour affronter le soleil et la mer. Je reprends mon souffle, je peux respirer et goûter le plaisir de les voir courir dans l'eau. Je m'assois sur un bord de serviette, bois quelques gorgées à une gourde en plastique rose, puis, tranquillement, je me déshabille à mon tour. Je les surveille toujours du regard, mais j'observe aussi une autre famille, à côté : un enfant grelotte d'avoir nagé trop longtemps dans l'eau encore fraîche de ce début d'été. La mère regarde au loin, ailleurs, elle ne semble pas concernée. Le père enroule autour du garçon une grande serviette chauffée par le soleil, puis l'enfant s'assoit près d'un autre homme, plus jeune. Le petit frère est occupé à faire des pâtés. Le sable est trop sec et les pâtés s'effritent. L'enfant s'énerve, il ne parvient pas à faire en sorte qu'ils restent droits.

Malgré moi, je reviens sans cesse à cette famille qui me rappelle la mienne. L'homme jeune sort d'un grand sac de pique-nique quelques gâteaux et les tend à l'enfant qui a froid. Quand il a fini son goûter, l'enfant remercie et se lève pour aller se serrer contre sa mère. « Tu es glacé », dit-elle en frottant les petites mains froides dans les siennes. Le père a fini de rassembler des pelles et des seaux de couleur, à côté d'une quantité impressionnante de châteaux ratés, et vient rejoindre sur sa serviette l'autre homme qui s'écarte un peu pour lui faire de la place. Ils s'allongent l'un contre l'autre, ils se ressemblent. Je leur souris.

Mes enfants ont commencé à creuser un grand trou au bord de l'eau. Je me lève et cours les aider avec ma pelle.

« Vas-y ! Creuse, maman, creuse ! »

Ils entreprennent de construire une immense piscine et son plongeoir. « *I'm all right, I'm all right, I've been lonely before, it's fine, it's OK, I've been lonely before…*

— Qu'est-ce que tu chantes, maman ? On la connaît pas celle-là.

— Ah oui ? Elle est jolie, non ? Tu aimes ?

— Oui, j'adore quand tu chantes !

— Moi aussi maman !

— Allez, il faut qu'on construise une incroyable-gigantesque-magnifique piscine avec barrage et déversoir ! La plus belle de la plage. Et faites gaffe, le gars là-bas en maillot vert a plutôt bien commencé la sienne...

— T'inquiète pas, m'an, tu nous as, et avec nous tu gagnes ! Tu vas voir...

— Je sais. »

Le sourire

Derrière le rideau baissé, j'entends les spectateurs s'installer peu à peu et le théâtre se remplir. Quand la salle est pleine, les conversations ressemblent à s'y méprendre au bruit de la mer. Je marche de long en large, en attendant l'instant où le spectacle va commencer. Je vais jouer pour eux, en écartant le rideau, je les ai vus s'installer au troisième rang. Mon père avec son mari, mes frères et ma mère qui tient la main de l'homme du Kilimandjaro. Je respire profondément, et me prépare à essayer d'arrêter le temps.

Je suis une actrice connue, ce qu'on appelle depuis quelques années un « people », même si j'ai toujours détesté ce mot, et tout ce qui va avec.

Pourtant, on m'aborde très rarement dans la rue, j'ai l'impression qu'on ne me voit pas et cela me convient. Je me sens libre, j'ai le sentiment de faire un métier banal, un métier comme un autre. Je ne crains pas d'être réduite à ma fonction, comme la vendeuse qui lance son « avec ceci ? » d'un ton caricatural, le ton usuel et si reconnaissable de la boulangère, sorte de chant répétitif et enjoué qui lui permet sans doute, derrière sa caisse, de penser à autre chose, de rêver d'être ailleurs, ou comme ces médecins s'exprimant d'une voix grave et posée pour annoncer un diagnostic aussi incompréhensible que l'écriture penchée et minuscule sur l'ordonnance, le flic qui joue au flic, tourné ostensiblement vers une caméra imaginaire... Non. Je ne suis personne.

Mais j'ai une autre vie. J'en ai même plusieurs, presque une centaine. Je suis morte si souvent. Ça ne m'a jamais effrayée, il paraît que ça rallonge la vie, la vraie, surtout sur scène, davantage que sur un plateau de cinéma, je n'ai jamais su pourquoi. J'ai d'abord été ingénue, fille de, puis une femme plus complexe, ambivalente, dangereuse, j'ai perdu la mémoire, porté le voile, mais j'ai aussi montré mon corps tout entier, j'ai été psychotique, je me suis prise pour la Vierge, à deux reprises je suis devenue héroïnomane, j'ai fait une overdose, des préposés à la morgue m'ont glissée dans un sac en plastique rapporté de l'institut médico-légal pour plus de réalisme, j'ai sombré dans l'alcoolisme, été enceinte sous méthadone, je me suis fait étrangler, j'ai été une pianiste virtuose, une violoniste médiocre, j'ai rendu vivante la statue de la Liberté, j'ai été mère avant d'avoir moi-même des enfants, mère douce, compréhensive, équilibrée, mais aussi mère indigne, dépressive, ambivalente, toutes sortes de mères, qui voulaient s'échapper, s'enfuir, qui auraient préféré ne pas l'être, je dois pourtant avouer que j'ai une mère limite : Médée, j'ai refusé plusieurs fois d'être infanticide ; j'ai attrapé le choléra, je me suis tuée en avalant du véronal, j'ai sauvé des gens, en revanche je crois n'avoir jamais tué personne, il faudra que je vérifie, j'ai opéré à cœur ouvert, été aveugle, fait semblant dans les scènes d'amour, j'ai trompé, j'ai aimé des drôles de types : tueur en série, malfrat, éternel étudiant... J'ai adopté, aidé des clandestins, été clandestine moi-même, j'ai donné des sales coups, parfois sans cascadeur, j'en ai pris aussi, j'ai essayé d'être comique aux côtés de partenaires dont c'était le registre naturel, je me métamorphosais alors en kangourou, ou en mascotte, étais-je plus à l'aise en femme politique incorruptible ? J'ai été juge et avocate, conseillère au Planning familial, tenté d'être une secrétaire crédible, puis critique de cinéma, libraire spécialisée en livres rares, ou encore infirmière, j'euthanasiais des gens, je confesse tout de même ici quelques meurtres, car j'avais la seringue facile. J'ai traversé les époques, du XVIIIe siècle à aujourd'hui, je n'ai pas encore été projetée dans l'avenir, mais ça peut venir, j'ai vécu la guerre, été paysanne avant de jouer les femmes fatales... On m'a parfois demandé pourquoi je ne restais pas cette femme-là, elle m'allait bien, celle-là ! J'ai joué en essayant de tout simplifier, de retirer les couches en trop, comme un oignon. Ou au contraire, avec hargne, j'ai voulu mettre beaucoup de couleurs, mes plus belles plumes, les plus folles et les plus flamboyantes pour prouver... quoi ? Je n'en sais rien. Je me sentais vide et seule. J'avais toujours la sensation de n'avoir nulle part où aller.

Ça ne se voyait pas. J'étais d'humeur égale. Je cachais bien mes faiblesses, dans un sourire.

Je me souviens d'un homme dont je suis restée longtemps amoureuse, notre histoire n'avait duré qu'un mois, mais j'ai poursuivi un dialogue imaginaire avec lui pendant des années… Je l'ai revu il y a quelque temps, il ne comprenait pas pourquoi je l'avais quitté. Il voulait savoir s'il était responsable de cette rupture, s'il avait commis une erreur, ou s'était mal comporté. « Non, je n'avais rien à te reprocher… Simplement je n'étais pas très heureuse, ni très à l'aise à cette période, tu as dû t'en rendre compte. »

Il est tombé des nues. Avait-il oublié certains récits que je croyais pourtant lui avoir confiés, ce climat familial particulier dont je parvenais lentement à me libérer ?

Peut-être qu'une fois encore, j'ai seulement rêvé de le faire ? Souvent cela suffit. Lorsque quelqu'un me blesse je lui écris une lettre, que je n'envoie jamais, le fait qu'elle existe pour moi m'apaise déjà, alors à quoi bon aller au bout de mon geste ?

Oui, peut-être n'ai-je rien dévoilé et ai-je gardé solide, comme à mon habitude, le sourire, ce sourire si convaincant ?

J'aurais aimé pouvoir partager mon incompréhension, toutes ces questions qui, vingt ans plus tard, me hantent encore.

Derrière mon visage lisse, il n'avait rien vu, rien deviné. « Tu étais gaie, drôle même… » Il devait penser que je noircissais le tableau, il n'était pas troublé, plutôt mécontent, dans le silence qui a suivi il semblait me reprocher ma complaisance. Et pourtant… Je ne lui dirais pas plus aujourd'hui qu'hier combien de fois par semaine je me rendais chez un psychanalyste pour en ressortir souvent triste et confuse. Je ne lui dirais pas que j'y évoquais régulièrement l'idée du suicide. C'était devenu pour moi une porte de sortie comme une autre. Une possibilité valable, presque une compagnie, une pensée magique qui me délivrait de mon angoisse. Sauter par la fenêtre ? Je l'avais fait, j'avais sauté déjà, et s'il suffisait de recommencer pour renaître, encore une fois ?... Me laisser couler dans un bain, dans la mer prendre une barque pourrie et dériver – je nage très mal, à cause de l'immense cicatrice qui barre toute ma jambe, je n'allais pas aux cours de natation à l'école, je ne voulais pas les entendre me questionner : « Qu'est-ce qui t'est arrivé ? J'avais jamais vu une cicatrice aussi grande, il y a combien de points de suture ? », et être obligée ensuite d'expliquer : « Je croyais que je pouvais voler »... À moins que je ne choisisse de raconter une version moins gênante, plus héroïque : « Je suis tombée dans la fosse aux lions du zoo de Vincennes quand j'étais petite », « une vachette m'a poursuivie lors d'une corrida », parfois c'était un banal accident de voiture, ou un plongeon trop proche des rochers, j'avais accumulé au fil du temps de nombreux récits plus ou moins plausibles, moins embarrassants en tout cas qu'une défenestration. Pour ma disparition prochaine, je comptais de la même façon des dizaines de possibilités : je pouvais m'étouffer avec un coussin, me jeter sous un bus, bloquer ma respiration, arrêter de respirer tout simplement... Les scénarios étaient multiples, et me rappelaient d'autres passages à l'acte.

Lui me trouvait joyeuse, bien dans mon corps, épanouie.

J'ai l'habitude avec les journalistes d'être toujours associée à deux qualités : discrète et lumineuse ! Durant toutes ces années, comment suis-je passée si facilement entre les mailles du filet ? Évidemment, je ne m'en plains pas, pour rien au monde je ne renoncerais au plaisir d'être si bien cachée derrière mon maquillage et les costumes d'un personnage. Puisque tout est vrai, et que les acteurs « font semblant de faire semblant », comme l'écrit Marivaux. Je m'étonne juste qu'après ces heures d'interviews, tous ces plateaux télé, ces radios, les mêmes mots ressassés à l'infini suffisent... grâce à ce sourire peut-être. Je suis une actrice connue, que personne ne connaît.

Je ne cherche à rétablir aucune « vérité ». Ce n'est que la partie émergée de l'iceberg. Le reste dort dans des cahiers, ou bien je continuerai d'en rêver sans les écrire. Je continuerai aussi de sourire, en pensant à cette phrase de Iago dans *Othello* : « Je ne suis pas ce que je suis... »

Je continuerai comme ça, comme nous le faisons tous, parce que le reste n'est pas dicible. La partie émergée donne seulement l'idée de l'énormité silencieuse qu'on ne verra jamais.

Et puis, il y a toutes les joies, comme des éclaboussures de soleil, les secondes chances, si précieuses que je préfère les taire et continuer de les contempler en silence.

« On ne devrait écrire des livres que pour y dire des choses qu'on n'oserait confier à personne », répliquerait Cioran, m'invitant au contraire à aller plus loin. Alors il faudrait recommencer et tout brûler après. Ou mourir. Le fantasme de mourir une fois qu'on a terminé son dessin… surtout pas avant de l'avoir fini ! Mais ensuite ne plus être là pour constater qu'on a blessé des gens, et éviter d'être blessé soi-même par les commentaires, les critiques, les étoiles vides… Comment rester vierge ou indifférent ? S'isoler, se tenir à l'écart, devenir plus solitaire encore ? Écrire comme mon frère jouait du piano, certainement pas pour briller, encore moins prouver quoi que ce soit, mais pour exprimer une chose qui doit être dite, ou pour se défouler tout simplement.

Je tape sur les touches du clavier comme il tapait sur celles de son piano, à toute vitesse, sans penser aux « journalistes-voisin-du-dessous ».

J'ai entendu une émission à la radio, dont l'invité était Laurent Mauvignier. Il était interviewé à propos d'un livre qui parlait de la guerre d'Algérie, *Des hommes*. Au milieu de l'émission, il avoue qu'avec ce récit il a cherché à se rapprocher de son père, puis il ajoute que ce père s'est suicidé à cause de sa participation à cette guerre, et sans doute aussi de son impossibilité à s'exprimer sur le sujet, malgré les années. Le journaliste hésite un instant, surpris par cet aveu inattendu. J'étais dans la cuisine, saisie comme lui, on sentait vibrer dans la voix de Mauvignier l'émotion d'avoir livré un tel secret. « Peut-être est-ce cette douleur qui est à l'origine, précisera-t-il ensuite au cours de l'interview, de tout ce que j'ai écrit, cette tragédie familiale qui est à l'origine du fait même d'écrire. » Je me suis mise à paniquer, mais tais-toi, ne dis plus rien, pourquoi se raconte-t-il ainsi, ce secret c'est la source de son inspiration, sa moelle épinière, ce qui lui donne de l'élan, la colère nécessaire pour écrire des histoires, faire son métier, et aller mieux après... Ce secret est le point de départ du processus qui l'amène à rester des jours et des nuits entières devant son bureau, ou dans un parc, penché sur son ordinateur en équilibre, genoux serrés, dans le métro et dans les trains, certains soirs au milieu des gens qui se détendent aux terrasses des cafés en s'aidant d'un verre d'alcool, tandis que lui, à l'écart, continue d'essayer, des heures durant, de trouver le mot juste. C'est pour son père qu'il fait ce travail solitaire, qui semble ne concerner que lui, sauf un jour comme celui-ci, où un journaliste paraît s'intéresser plus qu'un autre, et parvient à le questionner avec habileté. Peu habitué à parler – il préfère écrire, voilà qu'il répond en disant la vérité, qu'il répond trop loin.

L'émission est terminée. Je pense à lui, quittant le studio, vide, dépossédé, à présent qu'il s'est délesté de ce qui lui appartenait il y a une heure encore, de ce qu'il n'avait jamais pensé devoir dire un jour, le secret si intime de la mort de son père. Je connais un peu le journaliste, j'hésite, mais je finis par lui envoyer un sms, je veux partager avec lui l'étonnement qu'a suscité cette confidence et surtout mon inquiétude : est-ce que l'auteur est parti libéré, heureux du tour qu'avait pris l'émission, ou au contraire un peu sonné, débordé, surpris lui aussi ?

Oui, n'est-ce pas, c'était un beau moment de radio, me répond le journaliste, satisfait d'avoir été plus efficace que ses confrères, d'avoir réussi à tirer les vers du nez d'un écrivain reconnu et honoré, d'avoir sans doute ému quelques auditeurs, comme moi. Pas un instant il ne s'interroge, comme je le fais depuis la fin de l'émission, sur la portée de ce qui vient de se produire pour son invité, pour l'homme qui sort de la Maison de la Radio, et marche jusqu'à sa voiture, ou s'engouffre dans le métro.

J'aurais aimé l'attendre à la sortie, porte B, lui proposer d'aller boire un verre, sans parler, s'il préfère le silence, je l'aurais accompagné en commandant un whisky ou du vin, peu importe qu'il soit à peine dix heures du matin. Je lui aurais dit merci, « et surtout que ça ne vous trouble pas, la plupart des gens n'entendent rien lorsqu'ils écoutent la radio, ils se brossent les dents, font la cuisine, les autres ont la mémoire courte, au fond tout le monde s'en fout, et ceux qui ont reçu les choses, vraiment perçu ce dont il s'agissait, sont certainement comme moi, à l'heure qu'il est, reconnaissants. Je ne sais pas si vous pouvez le sentir, probablement pas, si vous pouvez sentir qu'ils vous accompagnent… ? ».

Je n'ai pas eu le temps de me précipiter dans un taxi pour aller à la Maison de la Radio, et si j'habitais à côté, je ne suis pas sûre que j'aurais osé… À la place, je suis allée acheter *Des hommes* et me suis mise à lire dans la rue. Sur la première page, cette citation de Genet :

« Et ta blessure, où est-elle ?

Je me demande où réside, où se cache la blessure secrète où tout homme court se réfugier si l'on attente à son orgueil, quand on le blesse ? Cette blessure – qui devient ainsi le for intérieur –, c'est elle qu'il va gonfler, emplir. Tout homme sait la rejoindre, au point de devenir cette blessure elle-même, une sorte de cœur secret et douloureux. »

59-58B

Ce matin, j'ai sorti tous mes cahiers, une trentaine, entassés dans un placard. Et je les ai ouverts,
tous. Mon premier cahier, j'imagine que j'avais onze
ou douze ans, je l'avais appelé ANNA. C'était un peu
étrange de se confier de but en blanc comme ça, à
soi-même et à du papier froid, je devais m'inventer
une amie, car « je suis en mauvaise compagnie avec
moi-même », écrivais-je dès la première page.

*Je commence à aimer ce cahier, il recueille mes mots, les aide
un peu à se former. Il ne me tend pas ses bras, mais ses pages ! Il
s'ouvre et mon stylo s'habitue à glisser dessus, l'encre au bout de
la plume comme des paroles ou un baiser. Et plus j'écris, plus j'ai
à écrire.*

Dans un autre cahier, un cahier bleu :

*Mon père va peut-être arrêter d'être homosexuel, il me l'a
dit hier. Je lui ai répondu qu'avec un homme ou une femme ça
n'avait pas d'importance, c'est être amoureux qui compte. Il était
d'accord, mais m'a avoué qu'il n'était plus très sûr de désirer
un autre homme. Le désir... comme s'il n'y avait que ça, tout le
temps ! Il y a des moments où on est bien obligé de vivre sans.*

J'ai aussi retrouvé le cahier sur lequel j'écrivais à l'hôpital psychiatrique. J'ai mis du temps à me décider, et puis je l'ai ouvert au hasard :

Je tourne toute la journée comme un lion en cage, le pire c'est que maintenant je ne peux même plus m'exciter sur les infirmières parce qu'elles sont nouvelles et très agressives, les autres étaient mieux. Je devrais avoir une permission dans trois jours. Je suis là depuis plusieurs semaines... S'il y a un point positif dans tout ça, c'est que j'ai rencontré des gens. On s'est entraidés, et puis j'ai réfléchi à beaucoup de choses, des choses auxquelles on ne pense pas toujours devoir réfléchir à quatorze ans.

Il y a un nouveau qui est arrivé lundi, plus vraiment un enfant, il approche de la majorité... ! Mais il fait pipi au lit toutes les nuits. Pour qu'il puisse dormir, on lui met des couches. Il veut se marier avec Isker, depuis notre boum. J'aimerais qu'on recommence à danser le plus vite possible, je tourne en rond, c'est tout petit et on est surveillés tout le temps, comment ne pas se braquer, c'est leur vocabulaire : « Ne te braque pas ça sert à rien... » Sous-entendu tu resteras ici encore plus longtemps si tu n'es pas capable de te calmer, d'obéir... R. m'a dit : « Tu sais c'était un accident, j'ai jamais voulu me suicider, mais maintenant je le ferai ! »

R. est amoureux ou il veut juste que je l'embrasse. Je lui ai expliqué que c'était impossible. Franchement l'amour en ce moment j'ai plutôt envie de lui chier sur la gueule. En plus, il a un appareil dentaire, j'ai jamais embrassé quelqu'un avec des taquets plein les dents, ça doit faire un mal de chien...

Sa tante, une blonde qui fume des clopes au menthol (j'ai goûté, c'est vraiment dégueulasse) serait plutôt gentille, c'est elle qui me fournit en chocolat, si elle n'essayait pas en échange de me brancher avec lui : « C'est normal que vous soyez là tous les deux... Vous n'êtes pas comme tous ces gens dans le métro, qui font si bien la gueule. Vous êtes différents, des artistes, des personnes sensibles... » Tout ce baratin ça voulait dire : allez-y ! Vous êtes faits l'un pour l'autre ! Et il me regarde comme si j'étais sa bouée de secours, son seul espoir. Il faut le voir ce regard, avec la tête à moitié rasée, sa balafre, ses tranxènes et le soir je l'entends pleurer derrière la cloison, en attendant un baiser.

Il faudrait l'embrasser !! Il le faudrait !! Qu'est-ce que c'est un baiser ? C'est tout ce qu'il me demande, je dois absolument le faire, je dois le faire pour lui.

Hier soir, je jouais avec le petit Pierre, on faisait semblant de se battre, on rigolait. Et tout à coup, il m'a frappée, très fort. J'ai crié : « Arrête, je veux juste jouer ! » Il a commencé à me mordre, je me suis retrouvée en boule par terre, il me donnait des coups dans le ventre, dans le dos... Les infirmières ont dû s'y mettre à plusieurs pour l'attraper et l'obliger à se calmer.

Elles m'ont aspergée de désinfectant. Même si tout le monde me voyait, à cause des vitres, j'ai attendu d'être dans ma chambre pour pleurer. Maintenant je comprends pourquoi on l'a enfermé. Mais moi... Bon sang, qu'est-ce que je fous là ?!

Je suis sortie !!! J'ai eu ma permission ! Et j'ai pu marcher dehors, dans l'enceinte de l'hôpital, presque tout l'après-midi ! J'étais avec ma mère, personne d'autre ne nous accompagnait. Je ne pouvais plus m'arrêter de parler, j'ai parlé sans m'interrompre pendant des heures, en respirant très fort, j'ai fumé toutes les cigarettes que je voulais ! On a pris des thés au citron au distributeur, qu'on est allé boire sous les arbres... Il n'y avait pas de soleil, pas le moindre rayon, mais ça n'avait aucune importance, l'air était si doux...

Vivre, vivre, VIVRE...

Quand j'ai franchi la porte, j'ai su à cet instant seulement que c'était fini. Je les ai tous laissés... Isker devrait sortir bientôt, mais Pierre continue d'être violent, sa tête lui fait mal, je crois qu'il est là pour longtemps. Mon amoureux ira dans un lycée pour paumés, d'ici quelques jours, maintenant c'est sûr. Les infirmières je m'en fous, elles peuvent crever.

Je suis retournée au collège, les profs me regardaient d'un drôle d'air, c'est vrai que j'avais beaucoup maigri... Dans ma classe, les élèves voulaient savoir pourquoi j'avais été absente tout ce temps, je répondais à côté, et je partais en m'excusant. Je n'arrivais plus à parler avec S., ma meilleure amie, ni avec les autres, je pensais à Isker, sa musique punk, à R. avec mon dessin là-bas. Je suis retournée les voir comme promis, pour les embrasser. Mais je n'ai pas pu leur parler à eux non plus. Ça m'a surprise... Il n'y avait rien à dire, rien à faire, à part les prendre dans mes bras. J'étais en blouson, ils étaient en pyjama, on allait leur apporter leurs plateaux. On n'était plus pareils. Quand je suis repartie, les petits se sont arrêtés de jouer et, en silence, ils m'ont tous regardée sortir.

J'ai lu une pièce de Tchekhov pour le cours de théâtre dans lequel je me suis inscrite. Ça commence par : « Passons plutôt par ici, voyons » et se termine par : « Bonjour la vie nouvelle. » C'est drôle, c'est exactement ce que j'ai envie de dire : Passons plutôt par ici voyons, bonjour la vie nouvelle !

Il est revenu vers moi juste après ma sortie de l'hôpital mais il faut pas que je me fasse d'illusion j'ai son dos en perspective d'avenir, son dos qui s'éloigne déjà.

J'ai pris un autre cahier sous la pile. Mon écriture avait changé, j'ai eu du mal à la reconnaître, large et plus ronde, le cahier de quelqu'un d'autre.

La séance d'aujourd'hui a été pénible. J'en suis sortie exténuée, j'ai dû résister pour ne pas m'allonger immédiatement sur un banc et dormir. Des enfants jouaient près de la grille du jardin, l'un d'entre eux criait à un jeune homme qu'il voulait récupérer son vélo. L'autre s'amusait à rendre le gamin fou, il lui tournait autour, puis il a ouvert la grille, et il est parti avec le vélo. Le petit a couru derrière : rends-le-moi, rends-le-moi ! J'ai compris à cet instant seulement que le type n'était ni un grand frère sadique ni un copain qui s'acharne sur les plus jeunes pour passer le temps, mais un inconnu qui venait de lui voler son vélo, bien trop petit pour lui, il l'a probablement jeté plus loin. L'enfant n'avait pas pu le dénoncer. Il pleurait beaucoup, plus étonné qu'en colère, il n'arrivait tout simplement pas à concevoir cette méchanceté.

Juste avant de s'enfuir, pédalant de travers sur le vélo miniature, j'ai croisé son regard à peine quelques secondes, sa jouissance était manifeste... C'est elle qui fait le plus mal.

Le petit garçon s'est assis, les jambes pendantes sur un banc sale, épuisé soudain par cette découverte angoissante : certains ont la conscience si lourde qu'elle les empêche de dormir au moindre faux pas, d'autres sont insensibles, leur conscience est tordue, bêtement anesthésiée. J'ai continué ma route dans le Jardin des Plantes, et laissé l'enfant le regard fixe, sidéré.

Il fallait peut-être perdre l'innocence afin d'avoir à la regagner autrement.

Je suis rentrée et je l'attends, j'ai mis de la musique. Je me suis coiffée et maquillée, et maintenant j'écris pour patienter.

Nous venons de nous quitter. Il est parti en disant vous êtes très émouvante mademoiselle. Je sais qu'il va retrouver sa femme juste après moi. Cette situation me plaît, je lui trouve de la sensualité, une sorte d'abandon, une forme de confiance. Et ce qui me déplaît c'est de n'être que ça : un moment, un petit moment privilégié pour lui, une émouvante petite demoiselle, jeune fille fraîche auprès de qui on se régénère. Il aime la poésie. Moi je suis un peu sa poésie, et ensuite il retourne vivre sa vie.

Je ne posséderai jamais personne.

Cette nuit j'ai eu peur à nouveau. J'ai dû dormir avec un couteau sous l'oreiller. Je me suis réveillée si fatiguée. J'avais tellement envie qu'il fasse jour plus vite.

J'ai hâte de partir en tournée. Actrice. Quel drôle de mot, drôle de métier. Je l'adore ce mot, il ressemble à une vieille lampe coiffée d'un abat-jour désuet, décoré de pendeloques usées, ou à un vieux chapeau qui fut grandiose autrefois mais s'est bien aplati depuis, un chapeau cloche. Actrice ça peut être aussi une femme très belle, très maquillée, qui balaie l'air de ses cheveux décolorés, elle fume en rejetant la tête en arrière, boit beaucoup trop, et rit d'une voix grave avec sensualité. Gena Rowlands, Jeanne Moreau, Deneuve... Je sais bien que quand je serai vieille je pencherai plutôt du côté de l'actrice-abat-jour que de la femme mythique. Mais sans les pendeloques, c'est déjà ça !

J'ouvre un dernier cahier, le seul que je n'ai pas terminé :

Je retourne chez mon père demain. Est-ce qu'il aura son visage triste, ravagé ? Il m'a dit au téléphone qu'il n'était pas bien du tout, qu'il allait peut-être faire une cure de sommeil ou quelque chose comme ça. Il m'a demandé d'apporter une bonne bouteille pour demain midi. J'ai dit : « Je crois que je n'en ai plus, je peux apporter le dessert ?

— Non, une bonne bouteille ! »

Est-ce qu'il veut me faire souffrir ? Mon assentiment ? Ma bénédiction ?

Enfoncer le clou ?

Faire mal ?

Me plier ?

Est-ce qu'il n'y pense même pas ?

Est-ce que tout ça ne serait pas le seul moyen (croit-il) d'accaparer nos esprits et d'y prendre la première place ?

Toujours est-il que je m'endurcis. Je ne veux pas aller là-bas demain. Pour entendre des paroles morbides qui font perdre confiance. Constater une fois de plus combien c'est insupportable de voir les gens qu'on aime partir à la dérive. Que faire ?

Rien.

Mais rien, c'est lui donner raison.

Dormir toute la journée en attendant quoi ?

Que sa vie passe ?

Rien n'est définitif, tout change, comme dans les films de Capra, jusqu'au dernier moment quelque chose peut surgir, une solution.

Il ne veut pas vivre. Il veut mourir. Bien. Pourquoi ne le fait-il pas ? Par peur ? Ou parce que malgré tout il continue quelquefois d'espérer ? Alors faites que cet espoir l'envahisse tout entier et l'enveloppe comme dans un bain d'où il sortirait vivant, neuf et rasséréné.

Mon Dieu qui êtes aux cieux, je vous aime, je vous aime, je vous aime à ma façon. Mais il a tellement changé...

Mon père est redevenu un enfant, qui n'arrive pas à oublier qu'il a été un numéro, le 59-58B Bâtiment A 203.

Les chaussettes

Même à mon journal, je ne parle que par allusion du fait que mon père est incarcéré. Il a dessiné toutes les enseignes de la Française des Jeux, L.O.T.O brille en rouge et blanc dans chaque bistrot de toutes les villes de France… Qu'a-t-il fait pour mériter un marché si juteux ? Du jour au lendemain, il est mis en examen pour « abus de biens sociaux, escroquerie, faux et usages de faux ». Six mois de prison pour des suspicions de pots-de-vin, et finalement un non-lieu… Depuis, il boit. Il ne s'est pas arrêté de boire quelques années plus tard, non, ce n'est pas donné à tout le monde de pouvoir se relever sans une égratignure, maintenant et pour toujours, il boit.

Son numéro d'écrou est le 59-58B. On s'écrit, et trois fois par semaine, mes frères et moi nous allons lui rendre visite à Nanterre. Son amoureux nous rejoint. Ils ne sont pas encore mariés, ils ne le seront que dix-huit ans plus tard, mais pour entrer dans le sas nous sommes toujours ensemble, tous les quatre. Je n'ai manqué qu'une seule visite. Je me souviens de ma panique ce jour-là, coincée dans le RER, comment avais-je pu manquer à l'appel et arriver trop tard…

Quand on approche, on est saisi par l'odeur. L'atmosphère est lourde, écœurante. On pense d'abord à un accident, quelque chose dans le sol, dans les canalisations... Peut-être une déchetterie voisine. Plus on avance, plus l'odeur est pénible. Je pense à lui, et à tous ceux qui respirent ça jour et nuit. J'apprendrai ensuite que la prison est à côté d'une usine de papier. Dès qu'il y a du vent, l'odeur est à vomir.

Après de grandes portes coulissantes, sur la droite, un panneau indique « MAISON DES FAMILLES ». Je regrette en entrant d'avoir mis un manteau rouge, j'aimerais m'en débarrasser, me faire la plus discrète possible, devenir transparente.

Il y a des femmes, des enfants, quelques hommes, et trois dames d'une soixantaine d'années qu'on repère vite, elles sont habillées de manière plutôt sophistiquée, comparées à toutes celles qui patientent dans l'unique pièce de la Maison des familles. La plus âgée porte un collier de perles grises sur un gilet en laine marron, elle me propose un jus d'orange et des gâteaux pour enfants, des barquettes Trois Chatons. Je la remercie, lui explique que je ne peux rien avaler à cause de l'odeur. Elle me parle de l'usine et m'assure qu'on s'habitue. Elle me questionne avec délicatesse, comme si elle s'adressait à une personne malade : « Êtes-vous bien inscrite pour le parloir ? Avez-vous apporté l'autorisation ? C'est la première fois ? »

Embarrassée, je lui réponds que oui. Il y a beaucoup de monde, comment nous a-t-elle repérés, peut-on lire la peur et l'inexpérience sur nos visages ?

Je pensais mieux me contrôler. Ça se voit tant que ça… « Vous devez déposer vos cartes d'identité au guichet, ensuite il faudra attendre. Quand ils vous appelleront, vous pourrez traverser la cour et passer le portique avec les autres familles. » Je remercie la bénévole, avant de confier ma carte à un maton. On me donne un casier dans lequel je dois mettre mon sac et toutes mes affaires, montre, écharpe… Mes frères et François en font autant. Ensuite nous attendons longtemps sur des chaises en plastique disposées tout autour de la salle. J'ai l'impression d'être à l'hôpital avant de passer une radio. Je pense à lui, dans sa cellule, qui doit attendre aussi. L'a-t-on prévenu de notre visite ? Est-ce qu'un surveillant est venu toquer à sa porte en criant : « Parloir ! », comme dans les films ?

Un guichet s'ouvre, deux gardiens aboient les noms des familles, immédiatement je me revois à l'école pour l'appel. « Carré !

— Présente ! » Tout le monde baisse les yeux, attendant que son nom soit gueulé, pour aller chercher un jeton en bois avec un numéro, celui de son parloir. On traverse la cour, en rang derrière deux hommes en bleu, ils ressemblent à des pompiers, il leur manque juste la petite ligne rouge, et notre sympathie. Chacun d'entre nous doit passer sous le portique, c'est long, la machine est réglée à son degré de sensibilité maximale, tout sonne, un bouton de jean, le zip d'un sweat… Certains passent et repassent plusieurs fois, une femme s'emberlificote avec une chaîne oubliée, le gardien s'impatiente. Le fermoir s'est accroché à une maille de son pull, je vois son visage se décomposer en entendant le type du portique répéter : « Il fallait le laisser dans votre casier ! À quoi ça sert qu'on vous en donne ? » En silence, tout le monde attend de l'autre côté, une petite vingtaine de femmes et d'enfants, et seulement quatre ou cinq hommes. J'aimerais l'aider, les mailles et la chaîne du collier se sont emmêlées, mais je n'ose pas. J'entends des gens soupirer derrière moi. Quand nous sortons enfin du sas, nous traversons une courette et l'odeur nous revient brutalement au visage. Tout autour il y a des fenêtres avec des barres et des grillages, sur lesquels sont noués des papiers, des tissus ou des bouts de plastique qui pendent et s'envolent avec le vent. J'aimerais demander à quelqu'un si ce sont des messages, des prières ou des vœux… Je garde ma question pour moi, personne ne parle, pas même les enfants, ici nul besoin de rappel à l'ordre, l'enceinte de la prison impose naturellement mutisme et soumission. Notre procession avance en regardant par terre, disciplinée.

J'apprendrai par mon père que les détenus appellent ces papiers des « yoyos », on se les passe avec un fil d'une cellule à l'autre pour communiquer, comme dans un petit village, ici on sait tout sur tout le monde, on peut aussi tout avoir, tout acheter, surtout ce qui est interdit : drogues, médicaments, produits, nourriture, absolument tout. En rangs serrés, nous suivons comme une classe obéissante nos deux gardiens-chefs, qui ne s'autorisent eux-mêmes aucun débordement, aucun échange, aucun regard ou geste hormis ceux prévus par le règlement. Nous pénétrons dans une grande pièce entièrement vide avec des bancs encastrés dans le mur. Des murs blanc cassé, tirant sur le jaune. Il n'y a pas de fenêtre, et la lumière orangée me rappelle ce jeu que nous faisions en voiture dans les tunnels, vérifier que notre langue aussi avait changé de couleur. Quand les portes se referment sur nous dans un claquement sec, j'ai tout de suite du mal à respirer. Presque tout le monde a trouvé où s'asseoir, à part un homme ou deux, et les enfants qui de toute façon ne tiennent pas en place. Ils parviennent à rester silencieux mais leur corps s'agite malgré eux, ils courent, sautent d'un pied sur l'autre, comme s'ils avaient des fourmis dans les jambes. Aucun bruit, excepté celui de leurs chaussures qui glissent sur le sol, ou de temps en temps un petit qui s'impatiente et tape sur une porte en criant : « Dehors, maman, dehors… ! » Il règne un étrange silence, nous sommes hors du monde, hors du temps, notre groupe a l'air d'avoir été oublié sous terre, dans un abri atomique, une salle de dégrisement, chez les fous… Ça dure. Toutes les minutes ne sont pas les mêmes, celles-ci s'étirent douloureusement, comme au Scrabble lorsque les lettres et les mots comptent triple… Je ne peux pas me permettre de me sentir mal, je vais le voir dans quelques instants. Les portes sont verrouillées de chaque côté de la pièce, et me donnent un avant-goût de ce que représente son enfermement. Lui doit se tenir dans une cellule de onze mètres carrés pour un temps illimité, sauf durant ces visites et la promenade après le déjeuner où il déambule avec les autres dans la courette que nous venons de traverser. Il longe sans doute, à son tour, ces hauts grillages, et respire l'odeur de l'usine à papier.

Les enfants bougent dans tous les sens, je suis leurs mouvements. En les voyant transformer cet espace sinistre en terrain de jeux, j'oublie les adultes autour de moi, angoissés, honteux, j'oublie l'attente humiliante, je regarde les plus jeunes remettre de la vie là où elle avait disparu. Un garçon sourit, gêné, lorsqu'il s'aperçoit que je l'observe. Il a sept ou huit ans, il est brun, très maigre. Il traverse la pièce, s'assoit par terre, se relève, va s'adosser contre la porte en attendant qu'elle s'ouvre, revient au centre. Malgré toute sa vitalité, il se déplace timidement, maîtrise ses élans pour ne pas déranger. Il bout comme les autres mais tente, en habitué des lieux, de se contrôler. Nos regards se croisent à peine, et pourtant un lien minuscule s'est tissé entre nous. Il porte un jogging bleu marine, un pull en laine qui a l'air de gratter, et des baskets comme tous les garçons de son âge... sans chaussettes, je vois sa peau blanche, ses chevilles nues dans de vieilles tennis en toile, alors qu'il fait trois ou quatre degrés dehors. Je ne supporte pas l'idée qu'il ait froid, qu'il joue dans la rue, dans la cour de l'école, qu'il passe toutes ses journées en plein mois de janvier sans chaussettes, qu'on ait oublié de lui en mettre, qu'on s'en foute, qu'on n'ait pas le temps, ou pas les moyens. J'essaie de le regarder plus discrètement, j'ai peur de l'avoir mis mal à l'aise avec mon insistance à reluquer ses pieds. Mais ses yeux sont tournés vers la porte, il est ailleurs, dans ses pensées. Il attend. Son visage est doux.

Et toute l'émotion contenue jusqu'ici, toutes les larmes que j'ai soigneusement ravalées depuis le début du trajet en RER, qui sont restées coincées dans ma gorge, menacent maintenant de jaillir et de me submerger à cause de cette histoire de chaussettes. Ses lacets traînent par terre. Il s'en rend compte, les bourre maladroitement à l'intérieur, et me regarde, embarrassé. Alors je plonge mes mains vers mes chaussures, et lui mime les gestes qui pourraient l'aider : entre le pouce et l'index je tiens une première boucle, ensuite je prends l'autre lacet pour en faire le tour, ça forme une autre boucle que je glisse dedans en serrant d'un coup sec. Il essaie. Mais son nœud pendouille, approximatif. À nouveau, je lui montre toute l'opération, il s'efforce de me suivre, de faire son nœud papillon en même temps que le mien. On se retient de rire devant le résultat, nos papillons sont très moches, leurs ailes inégales et trop courtes, ni l'un ni l'autre ne sont près de s'envoler. Personne ne fait attention à nous. Il continue de se marrer en s'acharnant sur ses boucles, jusqu'à ce que la porte opposée se déverrouille enfin.

Il se relève aussitôt, les lacets oubliés, toujours défaits, pour être le premier à passer de l'autre côté. Il se dépêche, il va retrouver son père, lui aussi. Il n'y a plus de communauté, c'est chacun pour soi, les visiteurs essayent de se diriger au plus vite vers les parloirs qu'on leur a attribués : une pièce minuscule dont le numéro est inscrit en haut d'une porte munie d'une épaisse fenêtre, une sorte de hublot. Mes frères, François et moi cherchons le numéro 17, celui qui fait l'angle, c'est une chance, il est plus

« spacieux » que les autres. Il y a une petite table et quatre chaises, qui laissent tout juste la place de se faufiler pour s'asseoir. Dans les autres cabines, il n'y a que deux chaises, les visiteurs supplémentaires doivent rester debout. Le maton nous enferme, je me répète que je ne peux pas me permettre de manquer d'air, je n'ai pas le droit de me sentir mal devant lui, la sensation d'étouffer ne dure pour moi qu'une vingtaine de minutes trois fois par semaine, pour lui elle est continue. La bénévole au collier de perles m'a assuré que les parloirs ne dépassaient pas un bon quart d'heure, même si l'attente est interminable à la Maison des familles et dans la salle orange.

Les portes de la cabine 17 ont des carreaux qui permettent de voir à l'extérieur, nous nous collons à la vitre donnant sur le couloir d'où arrivent tous les détenus. Ils s'avancent lentement un à un, puis par grappes. Les portes qui claquent, les verrous, les matons qui appellent, tous les bruits sont amplifiés comme dans une piscine. Je le vois venir du fond du couloir. Il a l'air perdu, vide, ses cheveux sont sales, ses traits brouillés. Je me demande depuis combien de temps il n'a pas dormi.

De toutes ces visites, presque quatre-vingts, je ne me souviens que de ses mains. Je ne regardais qu'elles, elles s'agitaient beaucoup, tremblaient toujours au début.

Un soir, l'avocat m'appelle pour me prévenir qu'il trouve mon père si fragile qu'il me conseille d'appeler la prison pour le surveiller. Je ne saisis pas tout de suite, et puis, en raccrochant, je comprends qu'il va falloir leur dire que mon père projette peut-être de faire une bêtise.

Le directeur m'explique en quoi consiste « la surveillance renforcée » : tous les trois quarts d'heure le jour, et une dizaine de fois la nuit, un maton sera chargé de regarder dans l'œilleton, pour vérifier qu'il n'y a rien d'anormal dans sa cellule. Je raccroche et me demande comment je vais jouer *Dostoïevski va à la plage*, ce soir, à vingt et une heures, au théâtre de la Colline. J'aimerais me coucher et dormir, je dormirais des heures, des mois, peut-être même une année.

Je n'arrête pas d'écrire à la juge, je veux la convaincre que c'est une erreur… Elle ne répond jamais ; pourtant, après chaque lettre postée, je ne peux m'empêcher d'y croire.

Quand il sortira enfin, il n'y aura plus rien, plus d'agence, plus d'employés, fermeture obligatoire, pré-retraite forcée, avant cinquante ans.

Un matin, carnet de chèques en main, je suis chargée de sauver quelques objets, le reste doit disparaître dans une vente aux enchères. Tout, bureaux, ordinateurs, tableaux aux murs, matériel d'illustration, chaises, motos, stylos Waterman… Tout ce qu'il a dessiné, depuis le jour où il a décidé de devenir « designer ».

À dix-huit ans, son bac en poche, il n'avait pas la moindre idée de son avenir, quand son père lui envoya un article découpé dans un journal sur ce nouveau métier, et le petit encadré décida de toute sa vie… Après les Beaux-Arts, les Arts déco, il fit son entrée chez Cardin, pour démissionner cinq ans plus tard, il n'allait pas dessiner à perpétuité pour un autre ! Il s'installa au fond d'une cour dans le 11ᵉ arrondissement. C'était l'époque où il aimait que tout soit sphérique. Il avait bricolé une fenêtre-bulle en Plexiglas, on pénétrait dans son bureau comme dans un vaisseau spatial, ensuite il imagina une platine recouverte de la même boule, accompagnée d'enceintes tout aussi rondes, des tables basses transparentes avec cette sphère au milieu pouvant servir d'aquarium ou de vasque à plantes vertes... Ce sont elles qui l'aidèrent à se faire réformer P4, prouvant aux examinateurs, photos à l'appui, qu'il ne pouvait pas s'arrêter d'en créer, « je vous ai aussi apporté mes dessins, vous voyez, je dois absolument faire des sphères. Je ne peux pas faire mon service militaire, j'aimerais, mais ce serait trop risqué pour moi de renoncer à créer ces formes émotionnellement nécessaires, ces sphères représentent la Terre, notre besoin vital d'être en harmonie avec elle... ». Le type ne lui demanda même pas de passer devant un expert, pas besoin de psy pour constater le degré de folie de cet illuminé du globe. Il aurait pu simplement dire son attirance pour les hommes, à la fin des années soixante, cela suffisait pour être réformé, cela prouvait selon l'article L29 du code du service national « une incapacité rédhibitoire à être en groupe, causée par des troubles importants de la personnalité et de l'adaptation ».

J'ai devant les yeux une chaîne Hélium, je sais que je ne vais pas pouvoir la racheter. Je dois me contenter de la liste griffonnée au crayon qu'il a glissée dans ma main hier durant le parloir. Je l'ai immédiatement cachée dans mon jean. Nous n'avons pas le droit d'échanger de mots écrits, mais parfois il prend tout de même le risque de la fouille avant les visites, et moi celui de ne plus recevoir mon autorisation de parloir. Je ne cesse de consulter ces lignes, pliant et dépliant le mot, le rangeant dans mon sac pour le sortir à nouveau. L'huissier m'a questionnée avant le début de la vente et a noté dans son carnet ce que mon père voulait garder. Lorsque je lève la main, il clôt l'enchère le plus vite possible, en ne tenant pas compte des autres mains levées. Cette attention ne m'enlève pas pour autant le sentiment d'être prise au piège, spectatrice d'un malentendu qui m'épouvante. Je contemple impuissante chaque pièce dépouillée, bradée comme s'il y avait urgence à faire disparaître la moindre trace de toutes ces années, un grand nettoyage. Je suis là pour le représenter, pour tenir tête, alors j'essaie de rester bien droite, plantée sur mes deux jambes, mais je tremble, je lève le bras comme une noyée et quand tout a disparu, je rentre chez moi avec mon chéquier et la promesse de récupérer un grand calao, une toile hyperréaliste ressemblant vaguement à la peinture éphémère sur notre porte d'entrée, la girafe vert pomme et une cage à oiseau rouge qui décorait son bureau. J'essaie d'oublier l'avidité des acheteurs prêts à s'emparer de tout, j'essaie d'effacer ma honte et le sentiment d'un immense gâchis.

Dans son journal, Hélène Berr note qu'il fait toujours beau lors des grandes catastrophes, il fait beau aussi les jours de bonnes nouvelles quelquefois. Ce matin-là, quand il sort de prison, le ciel est saturé de bleu comme dans les dessins d'enfants. Devant les portes grises, un taxi l'attend. Pour la première fois, nous ne rentrerons pas après avoir montré patte blanche et patienté plus d'une heure, comme s'il fallait se préparer consciencieusement avant chaque parloir, ou pire, comme s'ils se méritaient. Cette fois, la porte va s'ouvrir pour le laisser sortir. C'est bientôt l'été, un vent frais s'engouffre dans la voiture, des flocons de pollen volent partout, je les observe se déplacer dans l'air, se poser sur les sièges, dans les cheveux du chauffeur. Personne ne parle. Paul, mes frères et moi attendons en silence que ce chapitre kafkaïen se referme. Jusqu'au dernier moment, la date de sa libération avait été incertaine, ce sera demain, non finalement pour le début de semaine prochaine... Et le voilà, avec sa valise. Il avance timidement, aveuglé par la lumière du dehors. Il semble étonné de nous voir alors que notre venue avait été organisée ensemble. On s'embrasse sans s'attarder, pressés de nous éloigner de la maison d'arrêt, impatients d'échapper aux gardiens de la Maison des familles, de ne plus sentir l'odeur de l'usine à papier, on roule, vitres baissées, le vent nous réveille... Mon père se penche un peu à la fenêtre. Je l'entends respirer à pleins poumons. Tu as faim ? Les mots simples du quotidien reviennent vite... Oui, un peu. Alors arrêtez-vous à cette terrasse, s'il vous plaît, monsieur. Tu crois ? Mais oui ! Pourquoi pas ? Un serveur nous installe en râlant, il rapproche les chaises, nettoie les tables, convaincu d'avance que nous ne saurons lui être redevables d'aucun effort. Mon père allume aussitôt une cigarette et regarde les passants... Le soleil nous réchauffe et doit rosir mes joues car il me dit, en buvant une gorgée de bière : « Attention, tu vas encore attraper un coup de soleil ! Qu'est-ce que vous en attrapiez, quand vous étiez petits ! Un jour, tu te souviens, tu as même eu des cloques… »

Il ne me regarde pas, il fixe la rue en face en souriant comme si nous étions encore au bord de la mer et que j'avais dix ans.

Après la libération de mon père, j'ai écrit une longue histoire qui s'appelait *La Cage*, je n'en ai retrouvé que quelques pages, j'ai du mal à reconstituer le puzzle mais elle commence dans une salle des ventes. Une jeune femme achète une cage rouge, semblable à celle qui se trouvait dans son bureau. Ensuite, elle part avec un drôle de type dans une voiture noire pour une destination inconnue. L'homme veut lui montrer un endroit exceptionnel, un endroit qu'elle reconnaîtra comme une part manquante car, il en est persuadé, ce lieu est fait pour elle. C'est un prétexte qu'il a imaginé pour éveiller sa curiosité, l'emmener, gagner du temps. « L'endroit » est une promesse qui les emporte toujours plus loin, jusqu'à devenir un mirage inaccessible. Il livre les indices au fur et à mesure, invente des détails pour nourrir son imagination, comme dans *Les Mille et Une Nuits*, et faire en sorte que la route dure plus longtemps.

J'ai cherché un endroit comme celui-là. Je l'ai trouvé, je crois, mais j'y partais souvent seule, avec un cahier :

Je regarde cet homme en costume noir, un Parisien sans doute, il marche sur la plage avec ses chaussures de ville. Je regarde sa silhouette s'éloigner et disparaître. Il fait un temps magnifique. J'ai mangé des huîtres, des crêpes, j'ai découvert un livre qui me parle à l'oreille et me donne envie d'écrire à mon tour une longue histoire. C'est par paresse si je ne le fais pas, j'écrirai quand j'aurai lu tout Untel, on ne peut pas prétendre écrire quoi que ce soit si on ne l'a pas lu entièrement, lui et tant d'autres... Quelqu'un se baigne ! En décembre ! Ils sont deux. Des amoureux ! Ils ont l'air très jeunes, je ne les vois pas bien à cause du soleil. C'est drôle j'ai vu des amants mais ils pourraient aussi bien être frère et sœur ? Ou même de simples amis... Le syndrome de la fenêtre avec la lumière allumée, là où la vie doit être plus douce, les gens plus unis, et le feu brûler très haut dans la cheminée... Alors qu'il s'agit probablement d'une fenêtre donnant sur une pièce vide qu'on a oublié d'éteindre.

J'aime cette grande plage, bien qu'elle n'ait rien de sauvage.

Même la mer a l'air d'avoir été domptée, les vagues s'aplatissent dès qu'elles approchent du sable, prenant immédiatement sa couleur, certaines tiennent plus longtemps, s'agenouillent un moment avant de glisser comme les autres en montrant leur dos blanc. Un voilier, le seul à naviguer dans les parages, ressemble au minuscule bateau qu'on fait monter et descendre à l'intérieur de ces stylos en plastique bicolore. Les nuages ont des ailes, celui-là a pris la forme d'une oie avec un long cou, il gagne de la vitesse, alors qu'un autre homme en noir passe dessous, les mains dans les poches, plus strict encore que le précédent. On approche de l'heure bleue, au cinéma on l'appelle l'heure magique, mon voilier est descendu en bas du stylo et l'oie a disparu. Une femme marche, seule elle aussi, elle est blonde et je lui prête mes sentiments, elle s'arrête un instant pour regarder la mer. Elle a aimé le film de Rohmer qui vient de sortir, et cherche « le rayon vert » à l'horizon pour lui porter chance. Elle avait toujours pensé, même enfant, à l'heure où les princes se rencontrent partout dans les livres, qu'elle était faite, non pas pour un grand amour, mais une relation durable. Elle ne se voyait pas vivre une passion, poursuivre ce genre de chimères, mais croyait malgré tout qu'un lien puissant, peut-être même indestructible, pouvait naître et rapprocher deux êtres. La plupart de ceux qui ont rêvé dans leur jeunesse n'ont fait que remettre à plus tard leurs souhaits, et leur exigence est tombée par paliers successifs jusqu'à sembler dépassée, utopique. On transige. Pas elle, ne vivant que dans l'imminence de son arrivée, et pourtant en retrait, aimant plus que tout la discrétion, elle marchait sur la pointe des pieds, pour ne pas réveiller qui. Quel ogre ne devait-elle surtout pas déranger... à moins que ce ne soit une ombre, l'ombre d'un père aimé et tyrannique ? Elle rêvait seulement qu'on la trouve, et qu'on la sorte de sa cachette.

Dans mes cahiers, je peux lire la jeune fille que j'ai été. Comprendre pour quelles raisons elle était aussi exaltée, volontariste, si seule, et comment pour y remédier elle s'inventait sans cesse des histoires d'amour, pour alléger les choses, se protéger de l'inquiétante réalité à l'aide de tous ses fantasmes.

Mais pourquoi n'avoir plus écrit pendant vingt ans ? J'ai ces cahiers devant moi, qui disent tous mon désir de continuer à le faire.

Alors je reprends le fil longuement interrompu pour vivre dans les histoires des autres. Je pensais prendre un détour, ce fut un long voyage, mais je rentre à la maison. Je continue, et je reviens à moi, dans un aller-retour heureux, enfin fluide.

Mon récit manque d'unité, ne respecte aucune chronologie, et ce désordre est peut-être à l'image de nos vies, en tout cas de la mienne, car il existe certainement des gens capables d'ordonner la leur. Toutes les époques subsistent en nous à la façon des matriochkas, c'est sans doute pourquoi, malgré l'expérience et les connaissances accumulées, nos propres réactions, parfois si infantiles, continuent de nous surprendre.

Dans la voiture, mon père aimait glisser une cassette de Léo Ferré, il se délectait de sa propre mélancolie et des paroles d'*Avec le temps*, « *Avec le temps, va, tout s'en va, même les plus chouettes souvenirs* »… Je me sentais au contraire incroyablement soulagée à l'idée que l'on s'allégeait avec le temps, qu'on pouvait faire place nette, recommencer.

Je ne le crois plus, à présent. Qu'on en souffre ou qu'on ait du plaisir à revenir en arrière, je suis sûre qu'avec le temps « tout ne s'en va pas ».

Tout reste, les voix, les lieux, les images.

Tout demeure, à portée de pensée.

Et s'éclaircit.

La lettre

En repensant à la lettre, j'ai hésité longtemps. Ce pourrait être un exercice d'atelier d'écriture, dans la même veine que « si vous étiez un paysage » : « Imaginez la première rencontre entre votre père et votre mère ou ce qui aurait pu l'empêcher. » Interrogerais-je celui que j'appelle avec tendresse et une pointe d'ironie l'homme du Kilimandjaro, pour lui demander ce qu'il avait écrit dans sa lettre, celle que ma mère a si bien déchirée sans en connaître le contenu ? J'ai préféré l'imaginer, ainsi que je l'ai fait tout au long de ce récit, comme nous le faisons sans cesse avec nos souvenirs, nous accrochant à eux, à quelques faits concrets, solides, incontestables, pour combler ensuite les trous, des pans entiers de notre histoire, les chapitres qui se sont effacés, ceux que nous avons pris soin d'enfouir, et les féconder de notre imaginaire. Je n'ai questionné personne, j'ai seulement raconté ce que je savais, et le reste, je l'ai inventé. Parfois je tombais juste, souvent sans doute à côté, mais c'est ainsi que je me rapprochais d'eux, en les laissant vivre en moi.

Je vais donc ouvrir cette lettre moi-même, comme si elle n'était pas partie en miettes dans une poubelle, mais avait juste glissé sous une armoire, était restée coincée dessous pendant plus de trente ans, et qu'un déménagement, ou un coup de vent, me l'avait ramenée :

Claire,

Je regrette que tu sois partie si fâchée, et dans une telle détresse. Même si je comprends bien sûr ta colère. Je ne peux que te dire une nouvelle fois combien je me sens incapable d'avoir un enfant, de l'accueillir, moi qui supporte à peine d'être en couple, et de construire ce que tu souhaites, une vie de famille. Tu as tort de penser que cela signifie que je mentais en te disant mon amour, et la joie de t'avoir rencontrée. Pour l'instant tu es déçue, blessée, mais je voudrais te revoir, ne ferme pas la porte s'il te plaît. Je t'en prie, parlons-nous. G.

Voilà comme un seul geste a déterminé nos vies. Si Claire ne s'était pas précipitée, toute cette histoire n'existerait pas, et moi non plus. Je suis le fruit d'un malentendu, d'une lettre déchirée trop vite.

Ou plutôt la rencontre de deux malentendus, mon père ne pouvant s'avouer quelle sorte de vie il souhaitait déjà, et ma mère jetant sa dernière chance au panier. Le fruit de deux orgueils blessés, qui se sont réchauffés un moment.

Les enfants crient. Les vagues ont commencé à détruire notre piscine et sa forteresse. Je tente de la réparer en promettant de faire mieux la prochaine fois. Ils me tirent par le bras. Ils sont sûrs d'eux, ils savent que je n'ai pas la moindre envie de résister. Je me laisse entraîner. La pente est raide, la maison s'accroche au creux de la colline. Là-haut, on peut voir la ville, les toits des maisons qui s'étendent au loin, et le soir, la mer briller vers l'Espagne dans l'obscurité... Mais c'est surtout sa couleur que je voulais habiter : rouge. Celle de la rue de P., de leur chambre, de la cuisine, du canapé du salon, des chaises, de la radio Brionvega, des laques tibétaines, du mange-disques, du téléphone... Devant les murs colorés de ma nouvelle maison, j'ai l'impression de rentrer chez moi, c'est un vrai défilé, le rouge des stores, des coussins, de la balance, du dessous de plat, j'essaie bien sûr de penser à autre chose mais, malgré moi, je reviens toujours à cette vieille chanson...

À peine avons-nous refermé la porte d'entrée que toutes les lumières sont allumées. Quelqu'un passe sous nos fenêtres et semble hésiter avant de s'éloigner. Joue-t-il à deviner, comme je le faisais, le quotidien, les habitudes des gens qui vivent ici ?

Oui, en observant la course des enfants et leurs glissades sur le parquet, l'inconnu, depuis la rue, imagine quels gestes les parents échangent chaque soir en rentrant, aiment-ils se raconter l'un à l'autre leur journée, puis recevoir du monde à dîner, faire la fête ? Lisent-ils des histoires aux plus jeunes pour les endormir ? Comptent-ils ensemble les étoiles au lieu de suivre naïvement la météo, une en face, deux derrière les nuages ? « S'il y a plus de cinq étoiles dans le ciel, il fera beau demain… »

Le passant s'est éloigné, je l'ai perdu dans la nuit. Ce n'était peut-être qu'une ombre, comme un reflet, ou juste un souvenir, un très vieux souvenir de nous.

Merci à Juliette Joste pour sa confiance, à Michel Spinosa sans qui ce texte aurait rejoint les autres au fond d'un placard, à Philippe Djian et son atelier d'écriture « *Marcher sur la queue du tigre* », durant lequel j'ai écrit le début du premier chapitre, à Irène Jacob, Laurent Grégoire et Marie Restoueix d'avoir été mes premiers lecteurs, à ma mère qui a compris pourquoi je voulais raconter cette histoire, à Marie-Eugénie Jullian de m'avoir écoutée, je n'oublie pas les yeux déterminés de Raymond Carver sur la couverture de *La Vitesse foudroyante du passé* qui m'encourageaient à continuer, et surtout, à mon mari et mes enfants d'être si présents à chaque instant.

BANDE ORIGINALE

Adamo, *Tombe la neige* / Nancy Sinatra, *These boots are made for walking* / Pascal Danel, *Les Neiges du Kilimandjaro* / Armando Trovajoli, *La Famille d'Ettore Scola* / Jacques Brel, *Isabelle, la Quête* / Keith Jarret, *The Köln concert* / Peter Baumann, *This Day* / Tangerine Dream, *Stratosfear* / Jean-Michel Jarre, *Oxygène Pt 2* / Vangelis, *Spiral* / Pink Floyd, *Another Brick In The Wall* / The Beatles, *Yellow Submarine* / The Bee Gees, *Night Fever* / David Bowie, *Modern Love* / Supertramp, *Another man's woman* / Gilbert Bécaud, *Le Dimanche à Orly* / Les Poppys, *Love liou-bov amour* / Yves Simon, *Qu'est-ce que sera demain ?* / Francis Lalanne, *La Maison du bonheur* / Les Swingle Singers, *Going Baroque* / Barbara, *Le Mal de vivre, L'Aigle noir* / Blade Runner, *End titles* / Serge Gainsbourg, *Slogan* / U2, *Sunday Bloody Sunday, Mlk* / Police, *Reggatta de Blanc* / Oberkampf, *Fais attention* / Bérurier Noir, *La mère Noël* / La Souris Déglinguée, *Dernière Chance* / Nick Cave, *From her to Eternity* / Richard Clayderman, *La Ballade pour Adeline* / Richard Antony, *Le Chemin de Papa* / Benoît Carré, *En commun* / Madeleine Peyroux, *I'm all right*.

Le Livre de Poche s'engage pour
l'environnement en réduisant
l'empreinte carbone de ses livres.
Celle de cet exemplaire est de :
250 g éq. CO_2
Rendez-vous sur
www.livredepoche-durable.fr

PAPIER À BASE DE
FIBRES CERTIFIÉES

Composition réalisée par PCA

Achevé d'imprimer en mars 2019, en France sur Presse Offset par
Maury Imprimeur – 45330 Malesherbes
N° d'imprimeur : 234809
Dépôt légal 1re publication : février 2019
Édition 04 – mars 2019
LIBRAIRIE GÉNÉRALE FRANÇAISE – 21, rue du Montparnasse – 75298 Paris Cedex 06

20/8025/2